Disclose the Superstar

大S徐熙媛

揭發女明星

美容大王2

美容大王揭開女明星的美麗祕密——
一場不動刀、不流血的
美容革命正在發生

　　鏡頭的銳利度，可是比人類的眼睛強好幾倍。所以，女明星的天生條件一定要比平常人更好，對美麗的標準也必須比平常人更嚴格。如果皮膚不夠細緻，上鏡頭就不會亮眼；如果五官不夠立體，上鏡頭就會變成平面人；如果臉型有一點圓或即使只是比一般女明星胖一點，上鏡頭就會真的變成一個胖子。鏡頭就是這麼狠、這麼銳利的超級放大鏡！所以女明星可不是那麼好當的，隨時都必須讓自己保持在最美的狀態啊！

　　但是，為什麼女明星們好像都吃不胖、曬不黑、也不會老？

　　吃不胖，是因為大部分女明星都吃不飽（女星小S生完之後每天只吃6分飽），所以她們不會發胖。至於為什麼能夠曬不黑也不會老？就大王的觀察和分析，可以歸納出兩個原因：第一，是天生麗質。大部分女明星一生下來條件就比別人好，這也是她會覺得自己適合當藝人的最大原因，天生漂亮的人大多會慢慢走上藝人這條路。第二個原因，就是她們動了手腳……

　　動手腳的方法又可以分為很多種，可能她很注重保養，每天都勤勞地保養、敷臉（有興趣的讀者可參考大王的上本書《美容大王》）加運動。要不然，就是直接去動刀整型。除此之外，現在還有一種很偷懶的方法，既不需要勤勞運動，也不用挨刀流血，就是大王這次要和大家分享的──高科技美容法。

沒有醜女人，只有懶女人，這句話將成歷史！

　　雖然有少數女明星曾大方地表示她們有做過高科技美容，但大部分的人還是不會公開承認。可是在演藝圈裡，女明星流行做高科技美容根本就是公開的祕密，幾乎沒有女明星是完全不碰高科技美容的，這種新美容法已經成為最主要的潮流。

　　以前人家都說『沒有醜女人，只有懶女人』，但是現在有了高科技美容，即使妳是懶女人也可以變美！這是大王認為高科技美容最棒的地方，它比一般保養品更有效，也能精準地針對你某一項缺點做改善。當然啦，缺點之一就是貴。好處就是你不需要花力氣做運動、按摩、也不用花大錢買一大堆保養品做試驗。對天下所有懶女人、懶男人、太害羞不敢去買保養品的男人，或是有小缺陷卻無法光靠保養解決問題的人來說，高科技美容根本就是你們的救星。

　　在這本書中，大王會將女明星（當然我也是其中之一）對高科技美容的親身經驗談一一告訴大家。另外，為了慎重起見，大王還邀請了科技美容界的巨星吳英俊醫師參與本書的諮詢指導，可說是融合了女明星的經驗和醫生的專業解說。所以想要知道女明星如何變得更美，或想要瞭解高科技美容的人，這本書絕對有幫助！

整型，又怎樣？

前一陣子曾有篇報導，某位女明星公開她去做了電波拉皮，後來這篇報導引起了媒體一連串的討論。因為女明星說自己只是做了電波拉皮，而電波拉皮是不用動刀的，所以不算整型。接著，媒體又提出了反駁，指出電波拉皮就是整型，雖然它不用開刀，但在醫界已經被定位為整型的一種……

大王認為，愛美是女明星職業道德的一部分，就算不是工作需要，讓外表變美也是一件好事不是嗎？那篇報導對我來說，重點不在那位女明星到底算不算整型，而是整型這兩個字真的有那麼嚇人嗎？難道被冠上整型這兩個字，她的漂亮就不被大家接受了嗎？大王覺得整型這兩個字只是一個虛名，不管你是動刀整型，還是做高科技美容被認定為整型，都不是一件羞於見人的事。只要不影響健康，做完了自己很滿意、更有自信，其他的一點也不重要。

女明星要成功，靠的絕對不只是外在條件，而是取決於她本身的自信、魅力和才華。通常對自己沒有自信的藝人，外表被修飾過之後會變得更有自信；外表被大家肯定之後，內在的潛力就會發揮得更好。而高科技美容，只是提供大家除了動刀整型以外，另一種變美的方法和途徑。所以，大家也不用再揣測哪個女明星到底有沒有整型了，只要她最後的結果是變漂亮，大家也覺得她變好看那就對了。

聰明的女人才能變美麗

　　有一點大王還是要先說清楚，那就是高科技美容雖然有效，但效果不像動手術整型那麼激烈、明顯而且永久。所以不能期待你做完高科技美容之後可以完全變成另一個人。有一定的有效期限，這是高科技美容的缺點也是優點，因為不是永久的，也就不會有永久的遺憾，只要喜歡，下次還可以再做。

　　另外，很多人以為只有中年大嬸才會去做高科技美容。大王在此要鄭重告訴大家，高科技美容是沒有年齡限制的，不是到了某個年紀才需要進美容診所，凡是青春期的痘痘問題，二十歲的美白問題，或是到了三十歲覺得自己的皮開始有一點點鬆弛，有這些小煩惱的人才是最適合做高科技美容的人，因為問題不大，馬上就可以獲得解決。如果你真的等到年紀太大，或是情況已經太嚴重的時候，才想要用高科技美容解決問題，老實說已經沒得救了。

　　曾經有一位知名的皮膚科醫師說過：『唯一讓自己漂亮的方法，就是聰明。』大王在上一本書裡也有提過，不聰明的人是怎樣都不會變漂亮的。你必須要先瞭解自己的問題所在，接著找資料並且向專業人士諮詢，瞭解有哪些解決之道後，最後再決定用哪一個方法。一般女生想要改善自己的缺點時都會很心急，尤其會想要改變自己的人通常都是對自己要求很高的人，在心急之下常常聽說什麼保養品好用就買來往臉上擦。對

高科技美容也是一樣，很多人都是看到媒體報導說什麼很紅就去做什麼，還會要求醫生把劑量開到最高，這些欠缺考慮的做法其實很容易產生反效果。大王奉勸大家，只要是跟美容有關的事，一定要聰明冷靜！不管是選保養品還是做高科技美容，絕對不能莽莽撞撞、病急亂投醫。

選對醫師、用對方法，你就成功了一半

高科技美容最重要的關鍵，第一是找對醫生，第二是選對方法。如果醫生的醫術高明，能把對的方法用在對的部位的話，美容後的效果通常是很令人滿意的，但如果碰到的是沒有經驗的醫生那可就說不準了。比如說，有些醫生以前從來沒有幫人打過肉毒桿菌，不過因為現在高科技美容實在太流行了，他也開始打肉毒桿菌，但不能保證他打出來的效果會跟你想的一樣好。又比如說，改善皮膚黯沈其實有很多方法，但

每個人黯沈的深淺度不同，用哪一種方法最有效，這就要靠醫生的專業判斷了。所以，找對醫生是非常重要的，通常做高科技美容的成敗，就在於醫生的技術和判斷。再說，高科技美容的價格也不低，如果你找錯醫生，除了要擔心副作用之外，也會白花冤枉錢。大王要提醒大家，做高科技美容，不能把自己當試驗品，你買保養品可以先拿試用包，但高科技美容可是沒有免費體驗的。

到底痛不痛啊？

　　大王知道很多女生最關心的就是『做高科技美容到底痛不痛？』依大王本身的經驗，不管是做光療或雷射，只要是問醫生或護士到底有多痛？得到的答案幾乎都是『像橡皮筋彈到肉』的感覺。但就大王實際體驗過幾項療程之後，覺得這個形容詞真的是太抽象模糊了，因為有些做起來是像『大巨人用強力橡皮筋彈你的肉』，有的卻是像『小嬰兒用橡皮筋彈你的肉』，疼痛度是完全不同的。畢竟醫生什麼大風大浪、生離死別沒見過，所以，痛不痛問醫生真的不是很準。

　　另外，大王和醫生都一致公認，對於愛美這件事，男生能夠忍受的疼痛度其實是比女生低的。同樣做光療，很多醫生對男生就會把強度調低，做起來才不會那麼痛。所以呢，如果男生要做高科技美容，就更要找對醫生了（要找不會心軟的醫生）；相對地，男生也要有心理準備，你做出來的效果可能不會像女生那麼神奇，除非你很能忍痛。（拿出上戰場的勇氣吧！）

看到這裡，是不是愈來愈好奇了？高科技美容到底是什麼？做起來有沒有效？有什麼副作用？接下來，大王就要來跟大家分享我的高科技美容經驗，讓你瞧瞧這場讓女明星群起效尤的美麗革命，它到底有多神奇！

大王的叮嚀

怎麼選醫生？

大王要再次提醒大家，選擇醫生一定要冷靜地判斷。事先一定要先做好功課，例如調查一下你想去的那家診所平常的名聲如何？診所開業多久？醫生有沒有相關的專業執照？醫生執業經驗有多久？口碑如何？

等以上這些問題都確認後，就可以跟醫生約看診了。做任何一項高科技美容之前，一定要和醫生仔細溝通，只要你有任何疑慮都可以問，絕對不要害羞或是不敢問。雖然高科技美容不會有永久性的風險，但還是要事前溝通好免得事後後悔。當然你自己也不能強迫醫生做一些他已經建議你不要做的事情，如果你軟硬兼施強求醫生幫你做，自己就必須承擔大部分的責任。現在有一些診所會要求你在術前術後拍照存證，這個方法也很不錯，若是不幸發生糾紛，至少還有照片為證。

當然，最重要的是，每個人的體質都不一樣，所以決定進行高科技美容之前，一定要找合格的醫生好好討論喔！

CONTENTS

最方便的午休美容——
脈衝光

女明星熱愛指數：★★★★

它沒有傳說中那麼神奇，但真的很方便

　　如果要說哪一種高科技美容法，可以一次稍微解決各種問題、做起來不會太痛、價格也不會太貴的話，大王會推薦脈衝光。脈衝光的優點很多，包括可以治療毛孔粗大、痘疤、細紋、緊實肌膚、淡化斑點，使皮膚透亮有光澤。但是它的缺點就是每樣功能都兼具，但需要多次治療。如果你從來沒有做過高科技美容，預算也不多，那麼脈衝光會是一個不錯的入門選擇；或是你想要改善的美容問題並不嚴重，只是想要稍微讓皮膚變得更好看一點，那你也可以試試看它。

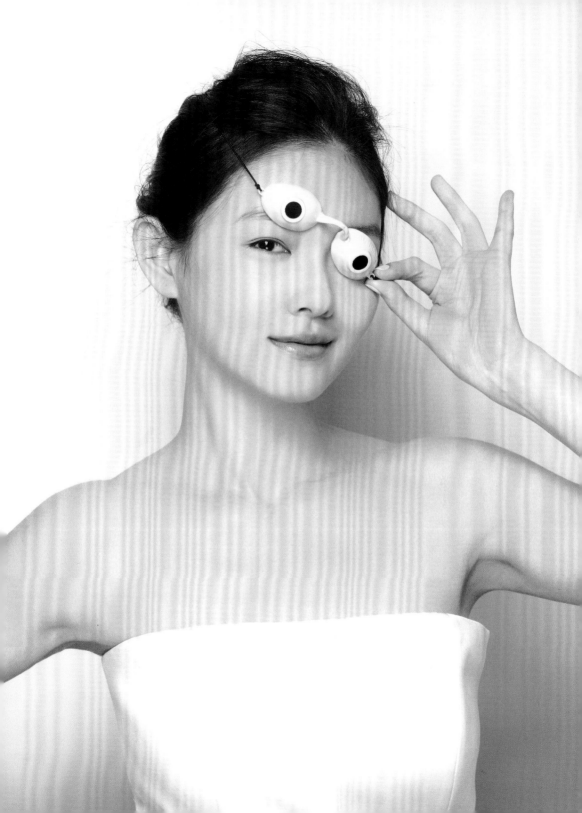

脈衝光不只是女明星的最愛，也是準新娘的最愛。脈衝光在做完一個星期之後的效果最好，所以很多新娘都會在拍婚紗的前一個星期去打脈衝光，或是在結婚三個月前密集地去打，如果每隔三到四週定期做一次，效果就像天天敷臉一樣。

　　媒體之前大力報導，把脈衝光的效果渲染得很神奇，頓時讓脈衝光變成了上班族為之瘋狂的午休美容方法。可是呢，以大王我的經驗再加上醫師的意見，我必須要說，脈衝光的確有一定的效果，但是真的沒有大家想像中的那麼神奇。但是，它就像報導上所說的，是一種可以趁午休時間去做的高科技美容。從你躺下來、清潔臉部、塗上冷凍凝膠到完成，整個過程花不到40分鐘，只要再做個保濕，就可以化妝回去上班了，真的很方便。

不痛，但有點變態……

　　大王第一次去做脈衝光的時候，覺得它真是一個很變態的東西。做這種光療美容的時候，都要把眼睛蒙起來以免被強光照射。第一次做時，被蒙上眼睛之後躺在那裡還真的滿緊張的，因為不知道會不會痛，也不知道到底什麼時候臉上會被打一槍。等脈衝光一打下去，還真的嚇了我一跳！因為它有點像空氣槍『碰！碰！碰！』地一槍槍打在臉上，每發射一發之前會有『嗶』的一聲，嗶完之後就會有『碰』的一聲貫穿你的耳膜……老實說，在皮肉上並不是真的很痛，但就心理上來說，實在是一種酷刑。

脈衝光打在臉上，依部位不同感覺也不太一樣。如果是打在黑色素不多又沒有毛髮的地方，感覺就像是用有指甲的指尖在皮膚上敲一下，不痛，但還是有『點一下』的感覺。如果是打在黑色素比較多的地方，感覺就會再更刺一點，像用原子筆筆尖點一下肉。但是，如果打在毛髮比較多的地方，就還會配合有燒焦的味道，像被空氣射擊又會聞到燒焦味……打脈衝光的過程大概就是這樣，有點嚇人但並不是真的很痛。

在做脈衝光的時候，大王呼籲大家一定要冷靜，只要追隨那個『嗶』的聲音就對了。只要一『嗶』，就要做好心理準備把肌肉繃緊，下一秒就會有空氣槍發射。沒有『嗶』的時候，就代表醫生還不會發射，可以稍微放鬆一下，不用太緊張。有些比較溫柔的醫生，還會事先幫你讀秒『1、2、3……』再下脈衝光，如果碰上這樣的醫生就更不需要擔心了。

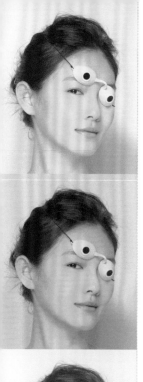

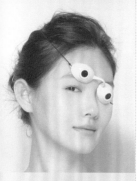

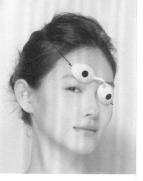

做一次脈衝光，就像是敷了一星期的臉

根據大王實際做過的經驗，我覺得做一次脈衝光就好像是連續敷了一個星期臉的感覺。它不可能一做完就讓你的肌膚變得年輕又緊實，然後痘疤全都消失。可是你如果敷了一個星期的臉，臉會看起來一天比一天更透亮，膚質和細紋也都會有改善，脈衝光大概就是這樣的感覺。雖然不能對它期望太高，但也不是沒有效果，如果你一做完脈衝光立刻照鏡子的話，會發現皮膚比做之前透亮，也好看得多。

脈衝光是光，所以效果會慢慢退掉，而且剛做完時打掉的一些比較淺層的斑，可能在過了兩、三天之後反而會反黑。如果發現有這樣的情況，你也不需要太過慌張，以為做失敗了或是以為自己被毀容了。這就是光療的效果，它就像氣爆的原理一樣，一開始時會先把黑色素吸進去，兩、三天之後黑色素又會被放回到最表層，最後那些有類結痂的部分會自然脫落，黑色素也會慢慢淡掉。

所以，在做完脈衝光之後，你要給它兩、三天時間的作用期。在這段時間你可能會發現色素反而加深了，那是正常的反應，你可以用遮瑕膏蓋掉，照樣去上班不會影響生活。給它一點時間，那些反黑的色素就會慢慢自然消失。

注意！有深層斑的地方，不要打脈衝光

脈衝光對於除去小小的痣或是淺層斑還滿有效的，打下去之後大概第二天會結痂。如果有類結痂部分，記得絕對不能去摳它，不用擔心它會永遠消不掉，兩、三天之後在洗臉的過程中痂自然就會脫落，而且不會留疤。

吳英俊醫生要告訴大家一個非常非常重要的資訊，這是大王之前都不曉得的。就是像顴骨斑、肝斑這種深層斑，做脈衝光不但不能消除反而有可能會加深，所以要選擇經驗豐富的醫師，將機器調節能適用深層斑的長波，就可以減少此情形。

大王要特別提醒大家，有深層斑的區域並不適合做脈衝光。但是並不代表其他的區域也不能做，你可以要求醫生打的時候避開那塊有斑的地方。有深層斑的那塊區域可選擇其他的處理方式，像是可以去除深層斑的雷射。

脈衝光，是改善黑眼圈的救星！

幾乎所有醫生都對黑眼圈束手無策，因為它真的非常難治療。形成黑眼圈的因素非常多，如果你是天生有黑眼圈或是有鼻子過敏的人，再怎麼保養黑眼圈還是會再加深。或者如果你

是夜貓子，眼膜敷得再多黑眼圈也還是無法根除，不管你問多厲害的醫生，他都會跟你說：『很難。』

脈衝光可能是至目前為止，對改善黑眼圈最有效的方法。但它也只是能淡化黑眼圈，並不能完全消除。當然，如果你持續地做脈衝光，它就能漸漸改善。如果你真的有本事把全身健康、生活習慣都調整到正常的狀況，那也許黑眼圈真的會有得救的一天。

通常有黑眼圈的人，醫生會給你的建議就是睡眠要充足。但是就大王個人的經驗來說，睡太多反而會加深黑眼圈。一般來說，晚上11點到凌晨3點上床睡覺是最健康的，也就是傳說中的美容覺。如果你在這個精華時段就寢，再加上睡眠時間不要超過6個小時，黑眼圈真的會漸漸變淡。相反的，即使你在該睡的時候就寢，但一睡就睡超過9個小時以上，那麼第二天醒來會發現眼圈不但更黑，眼睛還會浮腫。所以說，睡眠的確可以用來美容，但睡不對時間或是睡太多，反而和美容提升背道而馳。

不管做哪一項高科技美容，
事後都還是要多保濕、多補充維他命C

　　幾乎所有高科技美容事後的護理，醫生都會要你加強保濕和多吃維他命C。大王覺得吃維他命C是每個女生不管做不做高科技美容都必須要做的事情，只要你想要美白，平常就要多吃維他命C，尤其是想變白又很少吃水果的人，補充維他命C是一定要的。

　　有人會說，如果還要靠吃來保養，又何必做高科技美容呢？如果拿高科技美容和擦的或吃的保養品來比較，確實是比其他兩樣來得有效。所以對於比較心急的人、對自己要求很高的人，或是沒有時間保養的人，高科技美容是比較適合的方法，這也是它會受到女明星喜愛的原因。

　　女明星常常需要熬夜，她們當然也會補充吃的保養品，但是身體的能量流失的速度還是比補充進去的快。高科技美容的效果較快，就可以為女藝人爭取更多的時間和空間，重現美麗。

醫生的話 ✛

什麼是脈衝光？

脈衝光就像是一種溫合的綜合型雷射，它混和了多種雷射的光束，是一種多波長（光波550～1200nm），高能量的脈衝式閃光，具有完整的光譜，利用非侵入性的治療深入肌膚活化細胞，由內而外漸進式地改善膚質、促進膠原蛋白增生，進而可以改善多種皮膚問題。

適用族群

脈衝光不需要經過繁複的手術，治療過程中也不用忍受痛苦，同時還可以針對多種皮膚問題，進行全面性的改善。適合想要做整體性膚質改善，又不想忍受術後修復期的人。

效果

改善細紋、淡化淺層斑、改善膚色黯沈、改善黑眼圈、緊實肌膚、縮小毛孔。

治療過程

治療前需先卸妝洗臉，以防化妝品的成分影響光療作用。治療時，需要佩戴護目鏡，而且會先塗一層凝膠在皮膚上。治療時，會感受到像日曬般的微溫感，而在有斑點或血管絲的部位則有輕微灼熱感。整個過程不需要麻醉，也不會有侵入性傷口。

治療次數

脈衝光因為比雷射溫和，所以需要連續做個5到6次，每次間隔3到4週，才會有明顯改善效果。如果是治療淺層斑點例如雀斑，在1到2次後就可以看到一些改善。若想縮小毛孔和緊緻肌膚，則需要5到6次的連續治療。

副作用

● 不舒適：光照後會有乾燥緊繃的感覺。
● 暫時性反黑：由於斑點部位會吸收較多的能量而使色素轉深，令人誤以為斑點加深，其實這種現象只是暫時的。

- 類結痂：有些人會因為膚質或體質，對光能量反應較大而產生紅腫、結痂，是正常反應。
- 暫時性腫脹。（少數人）

注意事項

術前

1.治療前一個月內應避免日曬或是做spa。

2.治療前一週不能做雷射、磨皮、果酸換膚。

3.有發炎、化膿傷口的皮膚不適合進行。

4.有服用口服A酸的人，建議停藥3個月後再開始療程。

5.有使用外用A酸藥膏或是褪斑膏的人，建議停藥1星期後再開始療程。

6.若有光敏感病史、皮膚病變或免疫系統異常或是懷孕、有服用特殊藥物的人，必須先諮詢醫師再進行療程。

術後

1.做完後皮膚會有些許微紅、微灼熱感，在數小時會漸漸退去。如果仍感不適可再向醫師諮詢。

2.有一部分的人做完會有輕微結痂，一般在3到7天左右就會逐漸脫落，千萬不能自行把痂摳掉。

3.治療後需加強保溼。

4.治療後一週要避免使用刺激性保養品，例如含有果酸、A酸、水楊酸、去角質、高濃度維他命 C、酒精等刺激性保養品。

5.加強防曬，最好使用SPF30～50以上的防曬品，外出請2到3小時補擦一次，也可以撐傘和戴帽子遮陽做物理性防曬。

- 費用：單次約9000元
- 疼痛等級：2（等級0～5）
- 美白效果：5
- 除皺效果：2

- 抗痘效果：0
- 緊實效果：3
- 縮小毛孔：3
- （資料提供：英爵聯合診所DR.WU）

如果沒有玻尿酸，
很多女明星會活不下去

女明星熱愛指數：★★★★★

玻尿酸，就像上帝用來製造亞當和夏娃的黏土

　　玻尿酸到底是什麼？如果要大王來形容的話，我會說它是上帝用來製造亞當和夏娃的黏土。

　　玻尿酸到底有多受女明星歡迎？這樣說好了，現在的好萊塢女明星如果沒有玻尿酸的話，她們可能會死！只要是演藝事業蓬勃發展的地方，就需要玻尿酸的存在。

　　玻尿酸是一種可以立刻見效，但是又找不到什麼破綻的美容方法。它的用法有很多，簡單地來說，就是你希望哪裡凸就打哪裡，而且打下去立刻就凸，打完也不需要恢復期，唯一缺

點就是打完後會暫時留下針頭的紅點，如果是皮膚比較敏感的人或血管脆弱者隔天可能還會有些瘀血，但是這些問題都可以用蓋斑膏掩飾。

　　打玻尿酸到底算不算整型？這個問題也曾經引發了很多爭議。因為打玻尿酸會改變你的五官，而通常大家認為能改變五官的方法就是整型。玻尿酸不僅可以改變五官，也可以改善皮膚凹陷和大小紋路，大到很深的紋路例如法令紋、淚溝，小到脖子上的細紋都可以用玻尿酸來填補，它真的是一個非常神奇的東西。

超強除皺祕方

　　玻尿酸最強的功能就是可以除皺，而且是大皺小皺皆可除。其中大王覺得最棒、最推薦的，就是用玻尿酸除淚溝！淚溝真的是很難處理，它又沒有到需要拉皮的地步，如果打肉毒桿菌又很容易影響表情……不管用什麼方法都無法盡善盡美，直到玻尿酸出現。

　　你可能會覺得，淚溝明不明顯有這麼重要嗎？大王告訴你，女明星在鏡頭前看起來年不年輕，關鍵就在淚溝和法令紋。尤其是對女演員來說，如果她常常要演哭戲，或是長期軋戲睡眠不足，淚溝就會加深，那可是不管吃什麼補品都補不回來的，所以消除淚溝對女明星來說很重要。

　　用來注射玻尿酸的針頭比一般針頭來得短一點，而且醫生把針打進去之後還會在肉裡面移動一下，讓藥劑這邊擴散一點、那邊擴散一點。如果大家害怕針頭在肉裡注射的感覺，有些部位是可以先打麻醉藥的。例如想要打玻尿酸消除法令紋，醫生會從牙齦把麻醉藥打進去，和牙醫注射麻醉的方法一樣。有些人會覺得忍受打麻醉針的痛，還不如直接忍受打玻尿酸，這中間的取捨就看各人的忍耐度了。大王是認為，打麻醉其實不會太痛，而且是一針下去立即見效，之後不管醫生把針在你肉裡怎麼鑽，都不會有感覺了。但是，如果是要消除眼周皺紋的話，就沒得選了，因為眼周是不能打麻醉的。真的比較起來，我覺得打完針醫生幫你塑型的時候還比較痛。醫生會用捏的，把打進去的玻尿酸捏散開來，那感覺就像是被人狠狠掐了好幾把。

另外要特別說明的是，有時候剛打完玻尿酸，皮膚摸起來會有像顆粒般的東西，就像有小小的保力龍球在肉裡面。這個現象大概到了第三天左右就會融入真皮組織，而且那些顆粒是肉眼看不到的，要是你打完玻尿酸後立刻補妝，別人其實看不出來。

做完後悔？沒關係，還有第二次機會

如果你擔心打完玻尿酸的效果不好、會後悔的話，也可以選擇漸進式的打法，就我所知，很多醫生打玻尿酸都有二次服務。因為他們知道會想做這種填充式美容的人，心態都是很微妙的。尤其是中年婦女，常常一開始是想做又不想讓人發現，說直接一點就是『愛呷又假細意』。第一次做的時候，很多人都會跟醫生說：『不要打太多喔！我不想讓別人發現。』但是，她第二天又會跑去找醫生說：『我花了這麼多錢，但是回去都沒有人發現耶！那我不是白做了嗎？』這種情況真的屢見不鮮。所以，比較貼心的醫生就會給你第二次機會，讓你後悔打太少的時候，還可以回去補強。

亞洲女明星最愛打玻尿酸隆鼻

日本和台灣的女明星，最常見的就是用玻尿酸來隆鼻。東方女性的鼻梁天生就不高，所以她們會把玻尿酸打在鼻梁來增加高度。

要打玻尿酸隆鼻，和醫生做事前的溝通非常重要，你必須要跟醫生說鼻子大概要變多高、哪幾個點要高一點、大概想要多寬多細的形狀，這些都要先跟醫生討論好。打的時候，通常是把一劑針的劑量分散來打，一個鼻梁可能要打三、四個點。等到把玻尿酸打進去之後，就會有一隻上帝的手（也就是醫生的手）來幫你塑型。那個過程就像上帝在造人一樣，醫生必須要在打進去的玻尿酸還沒有變硬之前，捏出你想要的形狀，而且塑完型之後就可以馬上看到成效。

玻尿酸的優點是可以立刻見效，但缺點就是它是有時效性的，大概只能維持6到12個月。有些人聽到它有時效性，會覺得那不如真的去隆鼻算了，可以永久有效。但是，動手術隆鼻萬一隆壞了，你想拿出來就必須再忍受一次手術的劇痛。大王

覺得，一來隆鼻復原期長，二來隆鼻失敗風險很大，而且隆鼻還牽涉到醫生的審美觀，以及醫生對五官比例和要求是不是和你所期待的一樣。這些都是很主觀的東西，根本無法保證做出來的成品是不是你想要的樣子。

　　所以，打玻尿酸隆鼻不失為一個好選擇，而且它還有另外一個好處就是隆出來的效果自然，神不知鬼不覺，大家只覺得你變美了，卻又看不出來是哪裡變了。如果你對這次做出來的效果很滿意，12個月後可以再做一次。如果對效果不滿意也不用付出慘痛代價，只要忍受12個月，又可以重新找醫生再做一次。

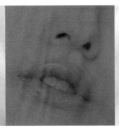

男明星也喜歡用玻尿酸豐唇

　　自從安琪莉娜裘莉走紅之後，全世界開始流行豐滿性感的唇型。不僅好萊塢流行豐唇，大王知道有很多男明星或是男性化妝師，也很喜歡用玻尿酸豐唇。

用玻尿酸豐唇，在一片嘴唇上可能需要打上四、五個點，然後，同樣用醫生的手來塑型，唇型馬上就變得飽滿又豐翹。打完之後嘴唇會有一點小瘀青，但因為比較不容易掩蓋，所以如果你很在意別人知道你去打玻尿酸豐唇，最好在家休息個兩天等瘀青散去。切記，千萬不要因為想要消除嘴唇上的瘀青就用冰敷或熱敷喔！冷敷或熱敷都會影響玻尿酸的效果。只要知道瘀青只是暫時的，就不必太過慌張，不當的處理反而會造成無法補救的遺憾。

進化版小針美容

　　玻尿酸還有另一個很棒的功用，就是豐頰。

　　在以前的年代，女明星很喜歡做豐頰手術。有些人是覺得臉太凹，會給人一種上了年紀或是很刻薄的感覺，還是臉頰

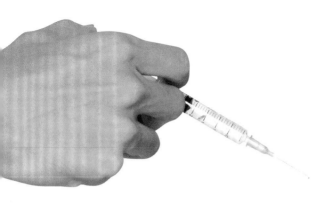

飽滿一點比較好看；也有一些人則是覺得臉頰豐腴一點看起來命會比較好。以前的人如果想要豐頰，唯一的選擇就是小針美容。想要讓凹陷的臉頰豐滿起來，就必須填進填充物，而以前唯一的選擇就是矽膠。但是從現在的觀念來看，矽膠根本就是一個很不妥當的填充物，不但打進去之後會隨著地心引力下垂，而且永遠不會消失，甚至死了埋掉、屍骨都火化了，打進去的矽膠都還不會消失。

如果是你，會選擇12個月後會漸漸消失的玻尿酸，還是選擇永不消失而且還會在身體裡亂跑的矽膠呢？這也是玻尿酸之所以會被醫生推崇的最大原因。有一些年輕時趕時髦去打小針美容的太太和阿嬤們，到現在都還可以一眼就看出來她們曾去做過小針美容，她們曾經走在時代尖端，現在卻變成難以抹滅的印記。

天啊！玻尿酸可以讓眼睛變大

有非常多年輕的女明星喜歡打玻尿酸，她們大部分都打在鼻梁，但並不見得是鼻子不夠挺，而是她們想要把眼睛變大。

　　把玻尿酸打在鼻梁中間，除了可以隆鼻之外，還有把鼻子兩邊的肉往中間提拉的效果，使視覺上集中在眼睛的部分，這樣眼睛就會看起來比較大。很多日本明星流行開眼頭，動手術把眼頭的眼皮拉開，這樣子就可以讓眼睛變得比較大，但是可想而知做這種手術的風險很高，不但要忍受手術的疼痛，術後的保養也比較麻煩，會有一陣子不能見人。可喜的是，現在只要打玻尿酸，就可以有讓眼睛變大的視覺效果。

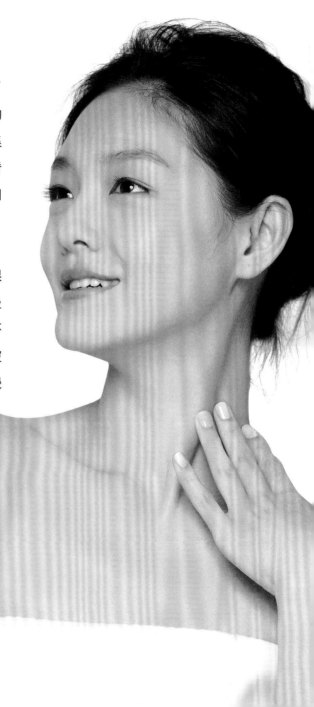

豐胸！豐臀！人類的偉大發明玻尿酸

　　既然玻尿酸可以用來隆鼻、豐唇、豐頰，那它也可以用來豐胸或是豐臀嗎？吳醫師表示，台灣即將引進的大分子玻尿酸，就可以用來打在比較大的區域例如胸部或臀部，這真是令人期待的一件事情！這表示未來隆乳不會再是豐胸的唯一選擇了。

　　以前小針美容式的豐胸已經被淘汰了，現在想要讓胸部變大的女生，只能做一些於事無補的食補和按摩。沒錯！要靠食補或按摩來豐胸真的是於事無補，大王沒有在騙人，很多女明星胸部突然變大，總是會說因為她做了什麼按摩或是吃了什麼東西。說實在的，大概有90%是謊言，剩下的10%，可能是因為她還在發育期所以才會有效。女生只要過了發育期，根本不可能光靠按摩和食補來豐胸，除了動手術之外，只有懷孕才會讓胸部變大。

　　如果妳已經過了發育期，想要讓胸部變大最有效的方法就只剩下隆乳了。但是就大王所知，隆乳非常非常地痛，幾乎是一種慘無人道的手術。講明了就是必須在胸部開一個洞，把妳的肉撕開，然後放一個袋子在肉和肉的中間，再把那個袋子撐大。當然手術時會打麻醉，但麻醉退掉之後想想看那會有多痛吧！現在有大分子的玻尿酸可以打在胸部，可說是希望胸部變大的女性一大福音！

還會有更新型的玻尿酸出現，大家拭目以待吧！

　　除了大分子的玻尿酸之外，還有另一種小分子的玻尿酸將來也會引進台灣。這種小分子玻尿酸是用來處理比較細的紋路或是皮膚比較敏感的部位，像是脖子和眼拗部位的皮膚。像很多人因為眼拗太深而想要用玻尿酸填補，但是眼周皮膚非常細緻，尤其是上眼皮非常非常薄，如果注射進去的玻尿酸分子不夠細，會很容易出現顆粒或是凹凸不平。如果能引進小分子的玻尿酸，將來這個問題就可以獲得改善了。

　　玻尿酸好處多多，但最受大家詬病的還是它的時效性太短。聽說有一種最新的填充物Aquamid，號稱可以維持六年，據說莎朗史東用的就是這一種。但是這個新產品目前只有在法國合法開放，而且也才上市三年而已，距離它所號稱的六年有效期還有很長一段時間，所以其他國家都還在觀望中。如果大家想知道這個新產品究竟能不能維持六年不消失也不會下垂，以後不妨多留意一下莎朗史東的新聞報導。

醫生的話 ✚

什麼是玻尿酸？

玻尿酸又名糖醛酸及透明質酸，是人體真皮組織的成分之一。玻尿酸注射是將玻尿酸以填充物的方式注入於真皮皺摺凹陷或欲豐潤的部位，如嘴唇、臉頰、鼻梁、下巴、疤痕等處，可達到立即性的除皺與改變容貌的效果。過去是利用膠原蛋白在真皮組織中做為架構，若以蓋一棟鋼筋水泥的房子來比喻的話，膠原蛋白就有如鋼架，而玻尿酸就有如鋼筋架好之後灌入的水泥，利用玻尿酸的膨脹效果讓架好的鋼架不會垮下去。但是打進去的玻尿酸會慢慢被人體吸收，所以想要維持效果，就需要間歇性的注射施打。一旦不再繼續定期施打，效果就會慢慢淡去，最後完全消失。

打玻尿酸的效果，和注射的技術以及選擇的分子大小息息相關。如果注射的位置太接近表皮，就會容易產生凹凸不平整的狀況。如果注射的玻尿酸分子太小，存在的時間就會很短。目前醫學美容上使用的玻尿酸，一般來說有三種，分子大小各有不同，台灣接下來會再引進兩種新型的玻尿酸，一種是專門用於乳房的大分子，另外一種分子比較小，則可用來消除脖子上的粗紋路。

適用族群

適用於各種年齡層。

效果

消除臉部靜態紋（包括眼部細紋、眼尾紋、淚溝、眼袋、法令紋、笑紋等）、豐唇、修飾唇型、下巴修飾、鼻型增高、鼻型改造、豐頰、填補凹洞（例如痘疤）。

治療過程

最重要的是事先與醫師討論需要施打的部位以及想要塑造的形狀，必要時必須簽定同意書，並在術前術後拍照做比較。

治療時會先進行清潔及消毒，塗抹麻醉藥並用塑膠膜壓住，確保麻醉效果後才進行施打。

治療次數

視個人情況而定。療程效果約可維持6到12個月左右。

副作用

注射玻尿酸後可能會產生暫時性的輕微發紅、腫脹、搔癢現象，但這些不適應的情況通常會在幾天後消失。玻尿酸的副作用較少，它不是蛋白質，因此引起過敏反應的機會就減少許多，而且也很容易被人體分解，因此對人體比較沒有長期性的副作用。

注意事項

1.在注射玻尿酸後的24小時內，為了讓形狀固定，要避免接觸注射的區域。

2.不要在注射的部位冰敷或熱敷。

3.注射後短時間之內要避免做劇烈運動。

4.注射後維持一般基礎保養程序，不要特別在治療部位按摩。

5.注射後要暫時避免做三溫暖。

6.如果有服用阿斯匹靈或其他類似藥物，可能會增加瘀青及流血的情形。

7.做玻尿酸豐唇，術後一週內進食盡量不要碰到嘴唇，避免因進食過冷或過熱的食物，使玻尿酸流失加快。

- 費用：20000～25000元
- 疼痛度：3
- 美白效果：0
- 除皺效果：5
- 抗痘效果：0
- 緊實效果：1
- 縮小毛孔：0
- （資料提供：英爵聯合診所DR.WU）

改變女明星生命的
肉毒桿菌

女明星熱愛指數：★★★★✦

肉毒桿菌可以改變女明星最重要的生命──臉型

不僅女明星愛肉毒桿菌，很多男明星也公開承認自己是肉毒桿菌的愛用者。肉毒桿菌具有撫平皺紋的功效。

大王覺得肉毒桿菌最棒的功能，不是除皺紋，而是可以用來消除國字臉或改善臉型。有國字臉的人，可以在左右下顎打肉毒桿菌，就能讓肌肉變得緊實，進而改善你的臉型。

只要是女明星，不管她的身材有多苗條多瘦，只要臉型有一點方或圓，上鏡頭就一定會看起來胖。所以臉型對女明星來說就是一切，是有如生命般重要的東西。為了擁有完美的臉型，很多韓國女明星流行去做削骨手術。但是在所有的整型手術裡面，疼痛度排行榜第一名就是削骨，我聽說簡直就是痛到不成人形。因為是把骨頭磨掉，做完之後臉會腫翻天，而且還會有一段時間無法咀嚼，手術後需要非常長的恢復期。

因此和削骨相比的話，打肉毒桿菌可說完全不用恢復期，打完就可以馬上出門見人，效果最好的高峰期大概是一個月。要特別注意的是，打完之後最好避免常去運動

或按壓施打的部位，才能讓肉毒桿菌好好在打下去的地方擴散開來。要是一直去按壓的話，肉毒桿菌可能會跑到你不想它跑去的地方，讓不該麻痺的地方變麻痺。

如果你想要從圓臉或國字臉變成瓜子臉，大王試想最好的可能方法是同時活用肉毒桿菌和玻尿酸，比如說在下巴兩側注射肉毒桿菌達到緊實的效果，然後在下巴注射玻尿酸把下巴拉長，這樣整個臉型就可以得到改善。如何判斷自己適不適合在下顎兩側打肉毒桿菌來修飾臉型呢？大王教你一個很簡單的方法，首先先用力上下咬緊牙齒，然後捏你的下巴兩側，如果感覺有一塊硬硬的肌肉，就代表你那裡有咬肌，就可以使用肉毒桿菌，讓咬肌變得不那麼肥厚，如此一來臉就會看起來變小了。

水能載舟亦能覆舟，肉毒桿菌最怕貪心！

大王在這裡要特別提醒大家，所謂水能載舟亦能覆舟，打肉毒桿菌千萬不能貪心，而且最好不要打在表情豐富的部位，例如法令紋和眼部四周。如果打太多或是打在不對的地方，那真的會變成大家的笑柄。大王就曾經聽過一個真實的案例，有一位女明星非要把肉毒桿菌打在法令紋的部位，而且大概是害怕沒有效或是效果太短，就一直要求醫生要打多一點。結果打過量，導致她大概有一年的時間都是皮笑肉不笑，每天都有人去問她：『妳是不是心情不好？』後來甚至影響到了她的社交關係和工作，最後，她只好坦誠是因為肉毒桿菌打太多才導致表情不自然。這個活生生、血淋淋的例子告訴大家，肉毒桿菌千萬不能打太多。直到現在，要是有媒體報導肉毒桿菌使用失敗的女星一覽表，她的名字每次都會出現，這對女明星來說，簡直就是一個揮之不去的夢魘。

除此之外，大王還聽說過有一位男藝人也是想要打肉毒桿菌來除抬頭紋，結果打的劑量過多，導致他過了一個月之後，眉毛都還是抬得高高的，最慘的是連睡覺的時候眼皮也無法緊閉，這些都是打肉毒桿菌可能會發生的副作用。同時也再次證明，選擇醫術好的醫生真的非常重要。從肉毒桿菌最早是用來當生化武器這一點看來，就知道它絕非善類，絕對不能小看它。太小看它的醫生，一旦錯用就會讓你變成笑柄，雖然不是永久的，但也夠受的了。

肉毒桿菌的有效期限大概是4到8個月。就大王所知，只要有打肉毒桿菌的女明星就會定期去施打，以維持最佳效果。只要懂得如何掌控，肉毒桿菌其實算是一個值得信賴的好東西。

連最難處理的蘿蔔腿都有得救！

　　肉毒桿菌還可以處理最難消除的蘿蔔腿。這裡說的蘿蔔腿不是那種肉軟軟的、只是看起來粗的蘿蔔腿喔，而是那種肌肉非常結實、有如運動員般的小腿，這種蘿蔔腿真的很難瘦，大部分的人都對它束手無策，但肉毒桿菌卻可能治療這種硬蘿蔔腿，讓肌肉變小達到修飾腿型的效果。不過因為小腿的面積比較大，要瘦一隻小腿肚可能要打個10針以上才會奏效。另外還會有一個缺點，就是因為會有肌肉麻痺的效果，所以打完之後可能會有一陣子覺得滿腿軟的，要有心理準備。

　　肉毒桿菌既然有瘦臉、塑小腿的效果，是不是也可以用來提臀呢？吳醫師說，醫學美容界的確已經開始利用肉毒桿菌來提臀，只要打在臀部肌肉比較鬆弛的部位，就可有緊實與提升的效果。同理可證，打在胸部下垂的部位，也可有提胸的效果。

　　這些方法都需要事前和醫師仔細討論好位置和想要提升的部位，大王再三強調，事前和醫師的溝通很重要，要明白清楚地向醫師指出你想要改善的問題和部位。如果女生覺得要跟男醫生討論這些細節會害羞的話，也可以找女醫生商量。

打肉毒桿菌沒有想像中的痛，反而是費用比較傷腦筋

　　瑪丹娜之前曾拍過一支MV，裡面有女明星挨針的畫面，而且用的還是很長的針頭，看起來實在很嚇人。肉毒桿菌也是屬於針筒式，藥劑裝在我們平常打針的那種針筒裡。事實上肉毒桿菌用的針頭要比一般打針的針頭來得更小，所以打下去時據實際經歷過的人說不會很痛，但是在注射時會有一股痠痛的感覺。基本上，注射的過程不會太難受，大家不必擔心。

　　肉毒桿菌在計價上有一個缺點，因為它大部分都是以罐計價，有些人只需要用到一點點劑量，但還是必須要付一整罐的錢。很多人就會想說，那乾脆一整罐都打下去好了，這也是早期肉毒桿菌常會發生打過量現象的原因。也因為如此，以前有很多人會組成肉毒桿菌貴婦團，兩、三個人買一罐一起分著打。現在大部分的診所都已經改成用區域計價，例如全臉是多少錢、瘦小腿是多少錢，即使你施打區域需要用比別人多一點的劑量，醫生也不會多收錢。不用一次一定要買一罐，省掉了不少麻煩。

醫生的話 +

什麼是肉毒桿菌？

肉毒桿菌是一種神經毒素，可以阻斷神經與肌肉間的神經衝動，使過度收縮的小肌肉放鬆，進而達到除皺的效果。或者是利用其可以暫時麻痺肌肉的特性，使肌肉因失去功能而萎縮，來達到雕塑線條的目的。

肉毒桿菌的效果可以維持3到4個月，但是因為肌肉放鬆、恢復到原來的狀態也需要時間，所以一般來說有效期為半年左右，有的人甚至可以維持一年。而且是打愈多次，就可以維持得愈久，例如大部分的人第一次打的有效時間可能只有3個月，第二次再打就可以維持得更久，只有少部分的人會產生抗體而愈打有效時間愈短，必須每次增加劑量。

肉毒桿菌的確可以用來改善蘿蔔腿，但需要的劑量比較多。以改善魚尾紋來比較的話，打小腿大概需要打魚尾紋的9倍劑量，腿部大概要下十幾針左右。一般以肉毒桿菌注射蘿蔔腿並不是用來瘦腿的，而是以修飾腿型為主，如果要瘦整個腿部則需要非常多的劑量才可能達到效果。

適用族群

適用任何年齡層。表情深刻的人容易產生動態紋，也就是表情紋，可以注射肉毒桿菌來改善紋路。

如果在工作上經常要運用到動態紋，來呈現豐富的表情，例如演員、演說家，就不適合施打肉毒桿菌，因為施打之後多多少少會影響到臉部的表情。

效果

消除動態性皺紋（例如魚尾紋、眉間皺紋、唇紋、抬頭紋）、消除蘿蔔腿、瘦臉。

治療過程

事先要與醫師仔細討論需要施打的部位。有時候必須簽定同意書，並拍下術前術後的相片比較。

施打前會先消毒，施打肉毒桿菌的進行時間視注射的面積而定，大約需要10～20分鐘不等，打完後要靜待5分鐘。

效果在施打後3、4天才會出現，第7天以後才會達到最佳狀況。

治療次數

視個人情況而定，除皺療程效果約可維持4～6個月左右。

副作用

注射完之後可能會有輕微的腫脹、暫時性的輕微發紅、腫脹、搔癢或頭痛現象。注射肉毒桿菌的劑量如果太多或是打的部位不對，可能會造成臉部表情僵硬、眼睛睜不開、嘴角歪一邊等後遺症。

有神經肌肉疾病、重症肌無力的人不適合打肉毒桿菌，大約有2%的機率會導致眼瞼下垂，但是為暫時性的，若藥性減弱後該情形將漸漸減退。

注意事項

術前

1.注射前兩週應禁止使用阿斯匹靈，以避免注射的部位產生瘀血。

2.不可與Aminoglycosides類的抗生素併用。

術後

1.不能在注射部位進行冰敷或熱敷。

2.注射完4小時內應避免臉部按摩、睡覺及頭部前傾和運動。

3.注射完至少3小時之內要保持挺直的姿勢。

4.注射完24小時內避免劇烈運動。

5.注射完後暫時不要做三溫暖。

6.注射後6小時內，要避免接觸注射區域。

7.可以進行輕微的卸妝。

8.頭部改變姿勢的次數愈頻繁的人，注射的效果會愈差。

● 費用：3000～8000元不等(依量計價)　　● 抗痘效果：0

● 疼痛度：2　　　　　　　　　　　　　● 緊實效果：2

● 美白效果：0　　　　　　　　　　　　● 縮小毛孔：2

● 除皺效果：5　　　　　（資料提供：英爵聯合診所DR.WU）

女明星最不願意
公開的祕密──美白針

女明星熱愛指數：★★★★★

女明星曬不黑的法寶──美白針

　　俗話說『一白遮三醜』。長久以來，這句話已經變成大家根深柢固的觀念了。東方人覺得美女的條件之一，就是一定要白，而女明星也非得要比一般人更白皙不可。但是，女明星一天到晚在外面奔波、拍戲、趕通告，不然就是在大太陽底下辦簽名簽唱會，根本躲不掉陽光的洗禮。尤其是拍戲的時候，不管哪一部戲都少不了要帶到海景，一到了海邊，不管防曬做得多周延，上鏡頭的時候還是必須直接曝曬在陽光底下。即使如此，為什麼女明星好像都曬不黑？

　　女明星曬不黑的祕密就是美白針！可是大王從來都沒有聽過有哪一位女明星會告訴別人說：『我的美白方法是打美白針。』大部分女明星會公開的美白方法不外乎是多吃維他命C、多防曬。防曬的確很重要！但是如果光靠防曬來變白，大王要憑著良心說，那根本是不可能的。

　　防曬就只能用來防止曬黑，如果你要變白，就得用別的方法。如果你以為別的方法就是效法女明星所說的多喝水、多吃維他命C……我想有親身經歷過的人就會知道效果是非常~~非常~~有限的。原因是我們曬黑的速度遠比美白的速度快上N倍，如果想要由白變黑，不用一個小時就可以變得很黑，可是如果是曬黑了想要變白，光靠吃維他命C，可能要吃十年才會白回來一點點吧！

　　美白針是女明星最不願意公開的祕密，這跟心態有很大的關係，因為想要讓大家覺得她本來就是天生麗質，而不是用人為的方法才變漂亮。這中間的心態其實很複雜，如果你是靠自己努力，例如很勤勞地運動或保養而得來的美麗，一般人會比較能接受，因為這個目標很難達成，大家反而會打從心裡對你感到敬佩，覺得你的美麗是經過一番努力才得來的。但是，如果知道原來你的白是靠打美白針得來的，一般人就不太能認同了，認為你是不勞而獲（女明星真是用心良苦啊……）。

另外還有一個原因，也讓很多女明星不願意和大家分享這個祕密。那就是公開美白針的好處之後，大家可能就會一窩蜂地去打美白針，然後每個人都變得跟女明星一樣白，那女明星就不會是特別好看的了。

打美白針要坐得住，還要憋得住尿

　　美白針不是一根針管打進去就好，它其實是一種液體的點滴，注射時間需要40分鐘到1個小時。打美白針就像打葡萄糖一樣，會很想尿尿，但是如果你一打完就去尿的話，好不容易

打進去的美白成分會很容易從尿液中流失，所以大王建議在打之前就要先去尿尿，如果打完之後還是很想尿尿也要忍住，留點時間讓身體吸收，不然一尿就流失了半瓶出去，那不是很浪費嗎？

要特別提醒大家的是，打美白針就像打葡萄糖一樣，如果點滴的速度調得太快，會讓人頭暈想吐。所以你是吊點滴比較會暈的人，速度就要調慢一點，寧可時間拉長一點，也不要滴太快。

打美白針對大王來說，最討厭的缺點就是時間太久。打的時候要坐在那裡等點滴慢慢滴，如果是空著肚子去打，就要打得更慢，因為空腹會更容易頭暈。差不多坐個半小時之後就會開始坐不住，就會偷偷把點滴調得非常快，然後會很想吐。所以我每次打完美白針都有兩個感想：想吐，還有屁股發麻。

除了變美之外還能抗氧化

美白針可以用來改善皮膚黯沈、斑點和痘疤，效果當然沒有光療那麼明顯，但比較沒有副作用，也不會反黑，如果打的次數較頻繁，也可以較快就見效。而且它不像光療只能對有治療的那個區域有效，美白針一打下去是全身都可以美白，就連

對身上的疤痕也可以有淡化的效果。

　　打美白針比吃維他命C效果快，但是你如果以為打一次就能美白一輩子，那是不可能的，必須要定期施打。如果不再繼續打的話，雖然不會變黑，但漸漸效果就會流失。如果你是皮膚真的很黑的人，可以在半年內密集地打，會發現真的比原來白很多，連『黑肉底』的人都可以獲得改善。等打了半年之後，就可以用吃維他命C、擦美白保養品等其他方法來維持，不必真的靠打美白針過一輩子。

　　就連男藝人也會去打美白針，他們有時候會需要穿背心或是裸露上半身拍照，如果身上有痘疤就會很明顯，而打美白針就可以讓身上的痘疤看起來淡一點。

醫生的話 ✚

什麼是美白針？

美白針裡的成分大都是抗氧化成分，其中包括穀胱甘肽（Glutathione）、傳明酸(Tranexamic Acid)和維他命C等。穀胱甘肽有助於身體排毒，也可幫助細胞抗氧化。傳明酸則是可以用來控制黑色素的酵素作用，減少黑色素形成。注射時是以點滴的形式將液體注入人體，通常在注射3天後就可以漸漸看到美白效果。

美白針因為具抗氧化效果，所以注射之後會發現喝酒比較不容易醉，免疫力也會變好，所以大家才會說打美白針也會有固肝、提神的效果。而且這種提神方法比刺激神經的咖啡因更健康，因為是活化細胞，把髒東西和代謝物清掉，讓細胞可以專注在真正該用力的工作上，人自然而然就會覺得神清氣爽。

適用族群
適合全身性膚色黯沈的人。也可以當作雷射或脈衝光反黑期時的美白保養方式。

療程效果
全身美白、舒緩雷射和脈衝光術後的反黑、淡化黑斑、淡化痘疤及色素沈澱。

治療次數
如果想要較密集的施打，建議一週施打1到2次。若想要較明顯的全身美白效果，則需要連續施打約12次。

治療過程
施打時間約為40到60分鐘不等。

副作用
有些人打完後會有暫時性噁心、血壓下降、頭暈的現象。也有一些女生打了之後MC量會變少。

注意事項

1.對維他命會過敏的人不適合打美白針。

2.對於因荷爾蒙因素導致的色素問題例如肝斑、黑皮症等，美白效果
　會比較差。

3.懷孕及患有心血管疾病的人不適合打美白針。

● 費用：1500元

● 疼痛度：1

● 美白效果：4

● 除皺效果：1

● 抗痘效果：2

● 緊實效果：1

● 縮小毛孔：0

（資料提供：英爵聯合診所DR.WU）

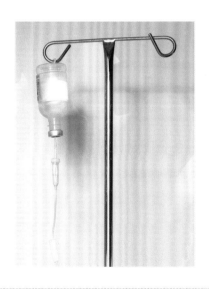

小拉皮大瘦臉的
電波拉皮

女明星熱愛指數：★★★★

別真的等到皮垂垂老矣了才想到要拉皮

因為新聞媒體的大肆報導，電波拉皮最近非常火紅，就大王所知，很多有勇氣和實驗精神、急於改善自己本身肌膚狀況的男女明星都去試用過了。雖然在各大報章雜誌上，電波拉皮也是經常被拿出來討論到底算不算是整型的一個項目，可是大王在一開始的時候就有說過了，大家根本就不需要去care它到底是不是整型，你是不是能忍受它的治療過程、對做出來的效果滿不滿意，這些才是重點。

電波拉皮的效果被媒體報導得很神奇，但大王要提醒大

家，不能抱著做完會像傳統手術拉皮一樣的心態，來期待電波拉皮的效果。根據醫生的說法，電波拉皮的效果其實只有傳統拉皮的十分之一。如果你的皮是已經很鬆的那種，做電波拉皮並不會有讓你滿意的效果，適合做電波拉皮的是皮有一點鬆又不會太鬆的人。

皮鬆不鬆，跟年紀沒有太大的關係。有些人還沒上年紀皮就鬆了，原因可能是他天生膠原蛋白就不多，或者是膠原蛋白流失得比別人快，或是超乎常人的勞累。如果你很年輕就覺得皮開始鬆了，那就可以做電波拉皮。要怎麼判斷自己的皮鬆不鬆呢？

大王教大家一個方法，自己推一下自己的肉，如果肉中間會有小波浪、小皺摺的話，就代表你的皮開始鬆了。另外還有一個方法，你可以觀察自己脖子到下巴的這塊肉是不是有一點垂下來或甚至形成雙下巴，如果脖子到下巴的這塊肉已經有一點垂下來的弧度，或是雙下巴已經跑出來了，也是皮開始鬆弛的現象，表示你可以考慮去做電波拉皮了。

傳聞拉皮過程就像歷經人肉BBQ

電波拉皮痛嗎？根據傳聞，做過的人都說痛，尤其是男生

都說痛得不得了。但是現在新式的電波拉皮已經有改良過，加入了冷卻系統來保護表皮，當然沒辦法改良到完全沒有感覺，但據說是一般人可以接受的程度，已經不會像剛開始時那樣痛了。

　　大王聽說，電波拉皮的痛，不是外傷的痛，而是有點像肉被燒烤的感覺。因為會有熱度，除了痛之外也會有一點像被電到的感覺。很怕被電的人可能會覺得受不了，它當然沒有到會把人電昏的那種程度，一般來說還是在可以忍受的範圍之內。

　　做電波拉皮會比做其他光療法的時間更長，大概要2個小時。這也是一般人會比較擔心的，因為已經比其他方法來得痛了，還得忍2個小時！那不是很可怕嗎？所以囉，就看你願意為美麗付出多少代價了。

除了拉皮之外，還可以小臉、消除蝴蝶袖

　　大家會覺得，電波拉皮既然叫『拉皮』，不就是把臉上皺紋除掉的意思嗎？但是電波拉皮其實還有一些不為人知的好處，例如可以用來修飾臉型、消除蝴蝶袖，有一些年輕的女明星也用它來改善雙下巴讓臉變小，甚至使得眼部周圍的皮緊實，讓眼睛看起來比較大。

　　電波拉皮有緊實皮膚的作用，所以還可以用來消除平常很難處理的蝴蝶袖。但如果你是因為肥胖而產生的蝴蝶袖，或是因為缺乏運動或是粗勇型的蝴蝶袖，則不在電波拉皮有效的範圍內。電波拉皮能改善的蝴蝶袖，是那種因為年紀大了、手臂的皮開始出現皮肉分離的狀態，這種蝴蝶袖就適合用電波拉皮來改善。除此之外，身體其他部位例如胸部和臀部，如果你覺得肉開始有點鬆弛，也可以利用電波拉皮來改善。

醫生的話 ✚

什麼是電波拉皮？

電波拉皮是把真皮深層的纖維蛋白癟縮，就像肉片烤過之後會縮短一樣的道理。只要抓對皮縮短的方向，也可以用於小臉、提眉、消蝴蝶袖、提胸、提臀之用。電波拉皮比較適合想要輕微改善的人，做完之後可以看到0.1～0.2公分的差距，但如果皮已經垂到1公分以上的人，則可能要做很多次之後才會看到一點效果。因此鬆弛程度較嚴重的人，反而不如動手術拉皮來得有效。未來將會有更新型的電波拉皮，甚至可以有局部消脂的作用，目前美國正在發展中。

適用族群
適合想要改善輕微鬆弛狀況的人，或是想要改善臉部、眼周、下顎線、下巴、脖子、手臂等部位鬆弛的人。但是如果肌膚已過於鬆弛，或是比較肥胖的人，可能無法有明顯效果。

效果
緊實皮膚。

治療過程
1.治療前需先卸妝洗臉，以防化妝品成分影響作用。
2.有時候必須要在術前、術後拍照存證。
3.治療前會先在治療區域塗抹上麻醉藥膏，並戴上護目鏡以保護眼睛。
4.在治療區轉印上標記格線，以確保治療的均勻度。
5.治療前會先貼上導電片，因此需要取下身上所佩戴的金屬飾品。
6.治療時會先有瞬間涼涼的感覺，接著因傳遞電波至下真皮，會再有一陣陣溫熱感。冰涼與溫熱感會持續交替，直到治療完成。
7.治療時間從20分鐘至2小時不等，依治療區域大小而異。
8.治療後大約要一個月之後效果才會漸漸顯現。

治療後可能會有些微紅腫現象，術後幾小時就會消退。

術後少數人會有輕微腫脹的情況，約持續3-5天，但亦會立即消退。

治療次數

原則上只需要1次的治療；依鬆弛情況不同，有時則需要做2次以上才會看得出效果。

注意事項

1.有安裝心臟節律器的人不適合做。

2.有光敏感病史、皮膚病變、免疫系統異常或是懷孕、服用特殊藥物的人，需要向醫師諮詢。

3.治療後一星期內不能用超過體溫以上的熱水洗臉。

4.治療後一星期內不能泡溫泉、洗三溫暖。

5.治療後要加強保濕，外出也要加強防曬，建議使用SPF30~50以上的防曬品，外出要2～3小時補擦一次，也可加強傘、帽子等物理性防曬。

● 費用：依部位不同約50000～130000元不等

● 疼痛度：3~4

● 美白效果：0

● 除皺效果：4

● 抗痘效果：0

● 緊實效果：5

● 縮小毛孔：3

（資料提供：英爵聯合診所DR.WU）

真的有鑽石在裡面的
鑽石微雕

女明星熱愛指數：★★

鑽石級的去角質祕方

　　大王只給鑽石微雕2顆星，因為它最主要的作用是去角質。一般女明星都會自行定期去角質，所以不太會需要用到鑽石微雕，除非她的角質真的比一般人厚，無法靠磨砂和保養來處理，才可能要做鑽石微雕。

　　就大王所知，較多男生會去做鑽石微雕，因為大部分男生都很懶得去買磨砂膏放在家裡一星期定期做兩次去角質，他們寧可一、兩個星期去做一次鑽石微雕。另一方面，男生的角質層比較厚、毛細孔比較大、粉刺也比較多，所以男生比女生更適合做鑽石微雕。

鑽石微雕之所以被叫做鑽石微雕，是因為在它的機器上真
的有鑲鑽石。鑽石一直是很紅的一種磨砂膏成分，很多保養品
只要標榜成分裡含有鑽石，就表示有不錯的去角質功能。鑽石
微雕的機器上除了有鑽石之外，還有一根像吸管一樣的東西，
可以一邊磨砂去角質，一邊把毛孔裡的髒東西吸出來，在做的
時候會感覺到一股摩擦力和一股吸力，而且還會有『啵！啵！
啵！』的聲音。

　　如果你是皮膚太細或是皮膚敏感的人，大王就真的不太
建議你去做鑽石微雕。因為鑽石微雕做完之後皮膚會有一點紅
紅的，而且它有摩擦力，算是一種對皮膚比較激烈的去角質方
法。所以如果你是皮膚會過敏的人，更是不建議你去做。

粉刺無所遁形，統統立正站好

　　鑽石微雕是一根吸管似的東西，它會在鑽石幫你去角質的時候，把皮膚裡的髒東西吸到化妝棉上集中起來。很多人在做完鑽石微雕之後，都會想要看到底吸出了什麼東西。這個時候，美容師就會拿出化妝棉，讓你看到黑頭粉刺、白頭粉刺還有一些油脂都被吸在上面，親眼驗證那根吸管從你臉上到底吸出了什麼，這對於平常有很多粉刺的人來說真的很過癮。可是如果是平常就有在保養的女生，很少人會需要做鑽石微雕，因為她根本不會讓自己的粉刺累積到這種程度。

什麼是鑽石微雕？

鑽石微雕是利用精細的專利鑽石顆粒雕頭，一面做微磨皮，一面將皮膚上的壞死細胞、老舊角質層除去。雕頭上的鑽石愈多顆表示可磨得愈細膩，如果要粗磨或是要去大量角質的話，則要選鑽石顆粒少而大顆的雕頭。通常會在皮膚較薄的部位用細雕頭，在皮膚較厚的部位才用粗雕頭。

以前傳統的磨皮技術是用高速噴射的氧化鋁顆粒來去除角質，或是利用滾輪加磨石，甚至也有利用鋼線來磨皮的。後來雷射發明之後，因為可以用電腦控制強度和深度，醫生處理起來就更得心應手，在技術上對皮膚的傷害也大幅減低，不像以前傳統磨皮法一個不小心就會造成凹洞。

適用族群

適合膚色黯沈、皮膚粗糙，或是青春痘、粉刺問題嚴重又留有痘疤的人。

效果

可改善膚質粗糙、改善膚色不均與黯沈、淡化色素沈澱、改善青春痘疤、改善粉刺青春痘。

治療次數

建議可做6次，每次治療間隔2個星期。

治療過程

1.治療前先清潔皮膚。

2.治療時會將鑽石雕頭沿著皮膚表面做移動。

3.治療時間約需40～60分鐘不等。

副作用

治療後的數小時內，皮膚可能會有暫時性的緊繃和泛紅，可以冷敷來
舒緩。

注意事項

1.治療後要以溫和潔膚乳來洗臉，不可再使用含有磨砂顆粒或果酸成
　分的洗面乳。

2.治療後必須特別加強防曬和保濕。

- ●費用：單次2000元
- ●疼痛度：0
- ●美白效果：3
- ●除皺效果：1
- ●抗痘效果：4
- ●緊實效果：0
- ●縮小毛孔：2　　（資料提供：英爵聯合診所DR.WU）

柔膚雷射就是傳說中的
黑臉娃娃美容

女明星熱愛指數：★★★

黑臉娃娃讓你由黑變白

　　做柔膚雷射的時候，可以選擇加碳粉或不加碳粉。加了碳粉的柔膚雷射前陣子很有名，因為有位女明星在上節目的時候提到，她做了一個叫『黑臉娃娃』的雷射，要先把整張臉塗黑再進行雷射，做完之後整張臉會變白、毛孔變小，連粉刺也都消失了。那就是加了碳粉的柔膚雷射，因為碳粉本身是黑色的，因此碳粉柔膚雷射就有了『黑臉娃娃』這個別名。

　　柔膚雷射可以讓皮膚透亮光滑、去除粉刺，而最棒的功效就是能縮小毛孔。要把毛孔變小其實是很困難的，如果你的皮膚沒有什麼其他問題，就是毛孔大了點，那就很適合做這種柔膚雷射。要注意的就是術後一定要加強保濕，如果你是皮膚比較敏感的人，就要有心理準備做完之後有一天皮膚會紅紅的，但也不必太擔心，過了一天之後就會漸漸消掉。

　　大王調查後發現，柔膚雷射很受學生族的歡迎，因為它對毛孔、粉刺、油脂分泌過多等等問題都有不錯的效果，這些都是少男少女們最常會有的皮膚問題，也算是年輕人最常做的光療法。

仙女棒的火花近在眼前

　　做柔膚雷射的過程十分特別，首先是它的聲音非常大，就像鐵工廠裡大型機械在轉動的聲音，而且雷射打下去的時候也像焊槍一樣大聲。柔膚雷射打在皮膚上的感覺，就像仙女棒的火花撒在皮膚上，正要覺得太燙的時候就消失了，同時又好像有種冰冰的感覺。另外，在雷射進行的時候你還會聞到很重的金屬味，就像從焊槍裡噴出火花來的味道。雖然過程很嚇人，可是稱不上會痛。一般來說，一個區域會做個三輪，等做到第二輪的時候就差不多習慣了，就會覺得那種把仙女棒火花撒在身上的感覺，還滿俏皮的。對大王來說，是很可以接受的，是一項做了下次還會想再做的高科技美容法。

醫生的話✚

什麼是柔膚雷射？

柔膚雷射就是所謂的C6鉺雅各雷射，其中1064nm波長對表皮與真皮深部的黑色素可有效作用，而且照射完之後不會結痂脫皮，對表皮的傷害較小。因為能量能照到較深層的部位，不僅能去除較深層的色素，也可以刺激細胞膠原再生，讓皮膚緊實。

而所謂的『黑臉娃娃』就是加了碳粉的柔膚雷射。做的時候會先將細微的碳粉微粒塗在皮膚上，讓它滲入毛孔之後，再使用雷射將碳粉粒子爆破，來震碎表皮的髒污及角質，所產生的熱能可以促進膠原蛋白新生，除了緊緻柔膚之外，也有縮小毛孔的效果。

適用族群

適合有表淺性痘疤、凹洞或是毛孔粗大的人。

效果

縮小毛孔、撫平細紋、改善鬆弛現象、除淺層斑、改善膚色黯沈。

治療過程

治療前需先卸妝洗臉，避免化妝品成分影響光療作用。

如果是做碳粉柔膚雷射，會先塗碳粉在治療部位上，等待約15～20分鐘。

治療時需要佩戴護目鏡保護眼睛。

治療過程不需要麻醉，不會有侵入性傷口。

治療次數

建議約3週做一次。一般而言，需要做4到6次才會看到毛孔縮小以及緊實的效果。

副作用

少數人在治療後皮膚會有些許微紅、微灼熱感，經過數小時後會漸漸退去。若灼熱狀況未改善，應向醫師諮詢。

注意事項

術前

1.治療前一個月內請勿過度日曬、做日光浴或是spa。

2.治療前一星期內不能做雷射、磨皮、果酸換膚。

3.如果有對光敏感、皮膚病變、免疫系統異常或是懷孕、服用特殊藥物的人，需要先向醫師諮詢。

4.若有多處發炎、化膿的傷口的人不適合做。

術後

1.治療後皮膚會感到乾燥，需要加強保濕。

2.治療後一星期內不能使用含有果酸、A酸、水楊酸、去角質、高濃度維他命 C、酒精等刺激性成分的保養品。

3.需要加強防曬，建議使用SPF30～50以上的防曬品，外出請2~3小時補擦一次，最好能撐傘、戴帽子來做好物理性防曬。

- 費用：單次10000元
- 疼痛度：1~2
- 美白效果：4
- 除皺效果：3
- 抗痘效果：3
- 緊實效果：3
- 縮小毛孔：3

（資料提供：英爵聯合診所DR.WU）

不流血的新式磨皮換膚──
魔顏雷射

女明星熱愛指數：★

拯救『橘子皮』

　　早期的傳統磨皮做的時候會流血，如果你的皮膚凹凸不平非常嚴重的話，它可以活生生把你一層皮都磨掉。現在這種新的魔顏雷射，做起來不會像傳統磨皮那麼痛，因為它會先幫你麻醉，在發射雷射的同時也有冷卻效果，就像是一邊磨皮、一邊幫你冰鎮，疼痛度因此減輕了不少。

　　小時候大王的爸爸有個朋友臉上充滿凹凸不平的痘疤，因為當時少不更事，就直接稱呼他『橘子皮叔叔』，現在回想起來實在很內疚……

通常在青春期大爆痘痘的人，長大之後就會留下凹凸不平的痘疤，大王深深同情發生這種情況的人，在此也提醒大家，痘痘還沒長出來就要預防，要是長出來，就要趕快治療，如果放任不管或是硬擠，最後的結果真的很難挽救！

讓人有點驚慌的人肉BBQ

大王有一位男性朋友，因為年輕時長青春痘留下了很嚴重的痘疤，而去做了魔顏雷射。據他的形容，魔顏雷射的過程也滿變態的，他說第一次做難免會有點緊張，加上雷射的聲音非常大聲，很像那種玩具

槍發射的聲音，最重要的是打下去之後會聞到一股很強烈的BBQ的味道，不過痛倒是不怎麼痛啦，而且做完後的一個星期皮膚變得超級光滑，是那種洗臉時連水滴都不會沾留的光滑喔！後來他又去做了幾次淺層的，覺得毛孔真的有變得比較小，最明顯的改變就是臉不會像之前那麼會出油。

　　根據醫生表示，魔顏雷射算是一種比較激烈的高科技美容，做完之後雖然不會流血，但是皮膚會發紅、脫皮，沒辦法在做完兩個小時之後就完全恢復，最少需要兩天的恢復期，如果是皮膚敏感的人則需要更多的時間。所以想要做魔顏雷射的人就要有心理準備，做完之後可能要在家裡休息兩天，並且事後一定要加強保濕。

還有，世上沒有人願意長痘痘，所以千萬不要嘲笑他人或亂給別人取外號！

出現新型的飛梭時光機

目前在韓國還有另外一種雷射也很流行，就是飛梭雷射。據說它可以刺激膠原再生，對於除皺紋、甚至消除產後的妊娠紋都有不錯的效果。

因為飛梭雷射現在還滿紅的，大王就在這裡稍微介紹一下。新型的飛梭雷射聽說除了可以除皺之外，對於除痘疤的效果好像也不錯，十分受到貴婦們的歡迎。它另一個好處是可以使用在全身任何一個部位，甚至連眼周、脖子和手背這種皮膚很細緻的部位，也可以做飛梭雷射，而它所標榜的是可以讓皮膚平滑，讓膚質看起來更年輕，所以現在市面上都把它稱為『飛梭時光機』。

大王曾經聽人家說做飛梭雷射很痛，幾乎和做電波拉皮時的痛不相上下，甚至有人形容那種痛就像是『整張臉被釘鞋踩到』，不知道是不是真的有那麼痛……

醫生的話➕

什麼是魔顏雷射？

魔顏雷射是只有一年多歷史的新型治療方法，它其實是一種新型的雷射磨皮。傳統的雷射磨皮在做完之後，皮膚會發紅而且要很久之後才會消退，效果雖然不錯，但很多人無法忍受那樣的疼痛和長久的恢復期。因此，後來又推出了鉺雅各雷射，鉺雅各雷射打得比較淺層，但做完仍然會出血。最後，才研發出了現在新型的魔顏雷射，可說是鉺雅各雷射的改良型。魔顏雷射同時有磨皮和止血的功能，做完不會出血，同時還有冷卻和麻醉的效果，所以進行雷射的時候也不會感到疼痛，成為現在最先進的雷射磨皮。魔顏雷射又分為深層和淺層兩種，深層有磨皮的效果，淺層則可以用來收斂毛孔。淺層魔顏雷射的收斂毛孔效果會比碳粉柔膚雷射強上一倍，而且可以持續一個月以上。這種收斂毛孔的雷射美容必須持續地做，做第一次、第二次都只能看到短期的收斂效果，但之後毛孔就會一次比一次更小，等做到三、五次之後，毛孔就會真正地縮小了。魔顏雷射的恢復期雖然沒有柔膚雷射和脈衝光那麼短，做完之後臉會有一點輕微的發紅和脫皮，但兩天後就可以正常上班了，所以也被稱為週末美容法。而柔膚雷射、脈衝光這種做完立即就可以恢復的美容法，就被稱為午休美容法。

適用族群
想做磨皮，卻又擔心太痛、恢復期太長的人。

效果
可改善毛孔粗大、改善痘疤及色素沈澱、清除淺層斑、除皺。

治療過程
1 治療前需要先卸妝洗臉，防止化妝品成分影響治療作用。
2 依個人情況與治療深度，考量是否預先於治療部位上塗麻醉藥膏。如果有塗麻醉膏，則需靜待約30分鐘。
3 治療時需要佩戴護目鏡保護眼睛。
4 治療時會感受到如日曬般的微溫感，而有斑點或血管絲的地方會有輕微灼熱感。

5.治療後的修復期需要3到5天，泛紅期則為1到2週。

治療次數

建議可做3到5次，但每次治療的間隔最少要6到8週以上。

副作用

少數人在治療後皮膚會有些許紅腫和灼熱感。若灼熱狀況一直未改善，應向醫師諮詢。

注意事項

術前

1.治療前一個月內請勿過度日曬、做日光浴或是spa。

2.治療前一星期內不能做雷射、磨皮、果酸換膚。

3.如果有對光敏感、皮膚病變、免疫系統異常或是懷孕、服用特殊藥物的人，需要先向醫師諮詢。

4.若有多處發炎、化膿的傷口的人不適合做。

5.服用口服A酸的人，最好停藥3個月後再做。

6.有使用外用A酸、褪斑膏的人，最好停藥1星期之後再做。

術後

1.治療後1到3天需要塗抹修復藥膏或貼人工皮，幫助傷口復原。

2.會有結痂反應，一般於7天左右會逐漸脫落，千萬不能自行摳除。

3.治療後皮膚會感到乾燥，需要加強保濕。

4.治療後一星期內不能使用含有果酸、A酸、水楊酸、去角質、高濃度維他命C、酒精等刺激性成分的保養品。

5.需要加強防曬，建議使用SPF30～50以上的防曬品，外出請2~3小時補擦一次，最好能撐傘、戴帽子做好物理性防曬。

- 費用：淺層每部位單次約5000元、深層每部位單次約8000元(全臉共分四個部位)
- 疼痛度：3　　● 抗痘效果：2
- 美白效果：0　　● 緊實效果：2
- 除皺效果：3　　● 縮小毛孔：2　　（資料提供：英爵聯合診所DR.WU）

膽小貴婦專用的溫和美容法
──動力紅光

女明星熱愛指數：

非常溫和但效果不大

　　大王覺得在所有高科技美容項目中，脈衝光已經算是很溫和的光療法了，但是動力紅光又比脈衝光還要更溫和一點，當然，效果也會更小一點。如果說做一次脈衝光像敷一個星期的臉，那麼做一次動力紅光大概就像敷了兩天的臉之後的效果。

　　進行動力紅光的過程也相對地輕鬆簡單，把眼睛保護好之後就直接照射，不會有脈衝光那種被發射的感覺。動力紅光是哪些人比較愛用呢？大王覺得是皮膚比較敏感或是膽子比較小的人，才會選擇做動力紅光。

有一些連做脈衝光都會覺得有點害怕的貴婦們，她們就會選擇做動力紅光，稍微體驗一下高科技美容的神奇。但是如果你是要求很高、而且覺得做了就要看到效果的人，動力紅光可就滿足不了你了。

　　大王有位長輩級的朋友想要改善臉上的小細紋，但對脈衝光有點怕怕的，所以她就嘗試做了動力紅光。她說在照動力紅光之前，會讓你先洗臉、用蒸氣蒸一下臉，再塗上一層很濃稠的保護乳液，然後才開始照射。在照的時候不會痛但是光非常強，照在臉上一開始會感覺有一點溫溫的，然後會越來越熱，有一點像曝曬在太陽底下的感覺。

　　她覺得那光真的有點太強，即使有戴眼罩還在眼睛上面放了一層厚厚的紗布，還是透得進來，讓眼睛有點不舒服。至於照完之後的感覺，她形容臉部會有緊繃感，就像有無數個小夾子在夾你的臉，尤其是在臉的邊緣和嘴角的地方，笑的時候會覺得好像有夾子夾住皮一樣。聽她說在照完動力紅光後的第一天會感覺皮膚比較緊，但是對細紋的改變並不大，還是要做個幾次之後才會感覺有改善；有改善的意思也不是說細紋會減少，而是細紋的紋路會變得比較淺，魚尾紋也會看起來比較短一點。

醫生的話 ✚

什麼是動力紅光？

動力紅光是用固定的二極體低能量光線（633nm紅光）取代雷射光源來舒張與強化微血管，以達到促進血液循環、增加活氧與加速排毒的效果。並且可以刺激纖維母細胞，強化膠原蛋白結構，以增生表皮組織，因此也具有抗老化的效果。

適用族群
有肌膚鬆弛、出現皺紋、無彈性問題的人。

效果
可淡化細皺紋、緊實老化肌膚。

治療過程
1.治療前要先卸妝和洗臉。
2.治療前要先戴上頭套，並將毛巾圍在脖子上，露出治療部位，並且戴上護目鏡。
3.進行光照治療約20分鐘。
4.治療後需再洗臉一次。
5.治療後需做保濕，並塗抹防曬隔離霜。

治療次數
建議可做6到12次，前6次為兩週內的密集治療。

副作用
無明顯副作用。

注意事項
在光照後會有輕微乾燥現象，需注意清潔保濕。

- 費用：單次1500元
- 疼痛度：0
- 美白效果：2
- 除皺效果：2
- 抗痘效果：0
- 緊實效果：2
- 縮小毛孔：2

（資料提供：英爵聯合診所DR.WU）

The Secret
女明星的祕密

用來預防痘痘的
動力藍光

女明星熱愛指數：★★

痘痘族長期抗戰的希望之光

　　與其說『女明星熱愛』不如說『男明星更愛』。以大王在
演藝圈打滾多年的經驗來看，女明星會長痘痘的還真不多，反
而年輕的男明星才是長痘痘的高危險群，一方面年輕男生本來
就比較容易長痘痘，另一方面男生比較豪邁，就算化了妝，收
工回家倒頭就睡，連臉都懶得洗，更別提保養，所以『只要躺
四十分鐘就能改善痘痘』，對男明星來說，真是一大福音！

　　一般人對付痘痘的方法有很多種，如果是已經長出來的痘
痘，通常會忍不住用手去把它擠掉。記住！這是個爛方法！如

果是還沒長出來的痘痘，通常也會先擦藥來預防。會選擇做動力藍光的人，通常是已經被痘痘問題困擾很久的人。

　　大王有一位女性朋友，就曾經做動力藍光來改善痘痘問題。她本來並不是容易長痘痘的體質，但有一陣子因為內分泌失調加上失眠，在一個星期之內臉上長了非常多的痘痘，而且是紅腫、有膿的那種。一開始她有擦痘痘藥也有吃藥，還去給人家做臉，但是效果都不大，後來她就選擇去照動力藍光。

　　做動力藍光的過程，就很像一般我們去美容沙龍做臉一樣。在做之前要先挑痘痘，用細針把痘痘都挑出來，挑到小痘痘的時候就像在臉上拔寒毛的感覺，等挑大顆痘的時候就會有點痛。至於照動力藍光的感覺，她形容就像在海邊曬太陽，但是是那種曬太久、曬到整張臉都已經熱熱的曬法。在照完之後臉會覺得很乾，所以還會幫你敷臉，做一下美白和保濕。整套做下來大概會花到40分鐘左右，還真的就跟去做臉的時間差不多。

　　不過，動力藍光也不是做一次就能看到明顯的效果，她一開始做的時候，痘痘都還是在，只是會變得不那麼腫，顏色也會開始變淡。等做了四次之後，大痘就變成小痘，有些小痘就不見了。

　　如果你長的痘子是很深層的大痘痘，醫生還是會建議你打痘痘針。所謂痘痘針就是類固醇，打在痘痘上那種痛的程度是相當驚人的。光是打類固醇就已經夠痛了，更何況還是打在化膿的痘子上，那真的是……慘無人道啊！大王忍不住又要再說一遍：『長痘痘的人真的是很可憐哪！』

醫生的話✚

什麼是動力藍光？

動力藍光所使用的660nm藍光，可以用來殺掉引起青春痘的痤瘡桿菌，是一種殺菌消炎的光源。它專一的殺菌能力可以阻絕因細菌感染造成的局部化膿、紅腫發炎等問題，對於預防痘痘有不錯的效果。

適用族群

適合有粉刺、膿皰、發紅丘疹型青春痘等問題的人，尤其適合不想吃口服藥來治痘的人。

效果

可消滅痤瘡桿菌、減少發炎。

治療次數

建議可做6～12次，前6次為兩週密集治療。

治療過程

1.治療前要先卸妝洗臉。

2.治療前要先戴上頭套，並將毛巾圍在脖子上，露出治療部位並戴上眼罩。

3.進行光照治療約20分鐘。

4.治療後要再次清潔臉部。

5.治療後要加強保濕，並塗抹防曬隔離霜。

副作用

無明顯副作用。

注意事項

光照後會有輕微乾燥現象，需注意清潔與保濕。

- 費用：1200元
- 疼痛度：0
- 美白效果：0
- 除皺效果：0
- 抗痘效果：4
- 緊實效果：0
- 縮小毛孔：3

（資料提供：英爵聯合診所DR.WU）

斑！我恨你！

女明星熱愛指數：★★

世界上唯一比女明星還要難搞的就是斑

一般人長斑，如果是比較深層又比較難去除的斑，就會想說算了不要管它。如果是比較淺層的斑例如雀斑或是面積比較大的斑，大家會選擇使用脈衝光來治療，或是打美白針也可以改善。很少人會特別去做雷射除斑，除非是真的看自己很不順眼的人，像大王我就是。

斑真的很難搞，世界上比女明星還要難搞的就是顴骨斑。我臉上有兩個很小很小的斑，面積很小但是很深，不仔細看看不出來，但是用粉蓋也蓋不太掉。總而言之，這兩塊斑是我的心頭大患，我每天照鏡子的時候就只看得到那兩塊斑，怎麼看就怎麼不順眼。就算別人都跟我說看不見，但是我就是恨

之入骨，真的是恨之入骨，所以最後我決定去做雷射除斑。

　　做雷射除斑的時候，醫生會先幫你塗上麻醉藥膏。就大王個人的經驗，如果麻醉藥膏停留在皮膚上的時間沒有超過30分鐘，它的麻醉效果就會打折扣，打雷射的時候就還是會有疼痛的感覺。如果麻醉藥膏有停留超過30分鐘以上，在雷射的時候就不會那麼痛，但還是會有被手指頭點到一下肉的感覺。

並不是打完雷射後，斑就會乖乖變不見

　　女明星比較少去做雷射除斑，其實有幾個很大的原因，就是它的復原期很長。首先做過雷射的那個區域會先起水泡，兩、三天之後才會結痂。結痂之後大概要一個星期的時間，讓那個痂自然脫落。在這段期間內都不能上妝，而且還要非常注意清潔，不能擦保養品，但是又要保濕。如果是雷射在臉上，因為不能上妝，所以不能工作也沒辦法見人，尤其做完之後絕對不能曬到太陽，因此也幾乎不太能出門……雷射除斑的術後保養真的是非常困難又麻煩。

　　在這裡，大王要特別提醒有去做雷射除斑的人，即使是痂掉了之後，也一定要加強防曬。就算是冬天或在室內都一樣要擦上防曬品，而防曬品的防曬係數一定要超過SPF25。這可不是開玩笑，而是一定要做到！因為打過雷射的地方會更容易吸收光，很容易反黑，如果打完雷射卻沒有做好防曬，就會掉入無間道，變成永無止盡的黑斑地獄。

　　還有一點也必須要特別提出來的，就是雷射除斑的效果並不是一定的。不是你打完雷射、經過一段非常麻煩的術後復原期之後，斑就可以完全變不見。打過雷射的地方還有可能會反黑，所謂反黑就是斑變得比沒打雷射之前更黑，可是它會從深層變成比較淺層的黑色素，必須要配合其他的美白方法來讓它變淡，例如再去做脈衝光。更慘的是，如果打完雷射的斑最後

真的沒有變成淺層的黑色素，那你就得去打第二次，然後，再重複一次所有的麻煩。

雷射除斑做完之後有一段觀察期，也就是所謂的反黑期，這段時間很長，大概是4到6個月；也就是說做完之後必須要等到4到6個月之後，才能確定到底有沒有成功，這一段時間真的是讓人很心慌。大王會決定去做雷射除斑，真的是因為我對自己臉上那兩塊斑已經受夠了，才會放膽去嘗試。直到現在，我都還在觀察期，等著看那塊反黑的部分最後會不會消失。（每天都還在期待奇蹟出現中……）

除了深層斑之外，痘疤或外傷所留下來的疤痕因為黑色素跨越深層和淺層，可說是最難消除的斑。脈衝光只能消除淺層的色素，所以如果你有那種介於深層和淺層之間的斑想要靠做脈衝光來消除，可能要多做幾次才能看到效果。如果黑色素真的過深的話，就要由醫生來判定，是不是要放棄做脈衝光而選擇雷射。大家可能會覺得『我怎麼會知道我的斑是深層還是淺層？這樣也未免太冒險了吧？』沒錯！想要變美麗原本就是一場冒險，你只能把成敗寄託在醫生身上，經驗豐富的醫生能判斷出你的斑究竟是深還是淺。

最後提醒大家，如果你的媽咪臉上有斑，你有很大的機會被遺傳上哦！（徐媽媽&#%）

醫生的話 ✚

什麼是雷射除斑？

雷射除斑屬於傳統雷射美容，可以除去淺層斑和深層斑。主要是以破壞、脫皮、結痂的方式去除，所以不會留疤。常用於除斑的雷射儀器有紫翠玉雷射、紅寶石雷射、鉺雅各雷射等，依照斑點的深淺來選擇使用。雷射除斑需要經由醫師判斷為何種斑，再做適當的治療選擇。

適用族群
有雀斑、曬斑、老人斑、太田母斑、顴骨斑等斑點的人。

效果
可去除淺層斑與深層斑。

治療過程
1.治療前會塗上麻醉藥。
2.治療時間依面積大小而有不同。

治療次數
如果是淺層斑如雀斑、曬斑和老人斑，1～2次可消除。如果是深層斑如太田母斑、顴骨斑，則需要3～6次不等。每次治療間隔最少要6～8星期。

副作用
1.治療後會有微微的灼熱疼痛感，約5到7天表皮會逐漸癒合產生痂皮。
2.在術後2到4星期會有暫時性的色素沈澱。
3.有些人在痂皮脫落後，患部的顏色會變深或轉為淡褐色，顏色消退時間從4個星期到6個月不等。所需的時間和個人體質、雷射種類及範圍大小都有關係。

注意事項

術前

治療前要保持皮膚清潔，不要吃阿斯匹靈，避免產生瘀血或紫斑。

術後

1. 治療後可能會產生輕微紅腫、過敏、微熱的現象，可以冰敷減輕疼痛，但是避免用力擦洗，可以清水輕拭清潔。

2. 治療後要好好照顧傷口，約3至4天內傷口會開始結痂，千萬不可用手摳抓，1星期左右後痂會自然脫落。

3. 防曬是最重要的工作，痂皮脫落後一定要使用防曬係數SPF25以上的防曬品。在防曬品的選擇上也需要含有抗UVA及UVB成分。

4. 可以的話最好能待在室內避免日曬。

5. 避免使用任何含有刺激性成分(A酸、果酸、去角質)的保養品。
   (龜毛吧？！)

- 費用：3000～10000元不等，依部位所需發數而定。
- 疼痛度：1~3
- 美白效果：5
- 除皺效果：0
- 抗痘效果：0
- 緊實效果：0
- 縮小毛孔：0

（資料提供：英爵聯合診所DR.WU）

一勞永逸解除腋毛尷尬危機
——雷射除毛

女明星熱愛指數：★★★

女明星如果被看到毛，就是大不敬！不然就是大頭條！

女明星不論一年四季，都有可能穿到無袖背心或是細肩帶等會露出腋下的衣服。但是她們不管是穿泳裝亮相，或是出席哪一個典禮、要揮手跟大家打招呼什麼的，都看不見她們有體毛。難道女明星都不長毛嗎？

對女明星來說，體毛會不會被別人看見是很重要的保養功課，尤其是在好萊塢，如果女明星體毛被別人看見，那真的是大不敬。所以女明星一定要做除毛的動作。

如果除毛是用拔的或剃的，很快就會再長出來，尤其是用

剃的長出來就會變平頭，刺刺的，變得更醜更明顯。很多女明
星都會去做雷射除毛，雷射除毛是從毛根處把毛除掉，所以通
常做了三次之後就可以完全去除，不會再長出來了。對於職業
上有需要的人來說，不失為一個好方法。

雷射除毛在日本非常流行，尤其是有一陣子日本男明星流

行沒有腿毛，為了要有一雙和女生一樣白白嫩嫩、光滑細緻的腿，很多人就會去做雷射除腿毛。

雷射除毛只能消除深色的毛，如果你的毛是白色的，可能沒效果，但白毛根本看不見，哪還需要雷射啊？根本連拔都不用拔，梳整齊就好了。

醫生的話 ✚

什麼是雷射除毛？

雷射除毛主要是用特定的波長穿過肌膚表皮，使毛囊細胞中的黑色素吸收雷射光的能量，讓毛髮從根部被破壞而停止生長。因此，雷射除毛必須針對黑色毛髮才有效，且需是處於生長期的毛囊，才會有足夠的黑色素來吸收雷射光。雷射除毛無法只做一次就讓毛髮從此根除，需要多次治療才能完成。

適用族群
想要一勞永逸去除特定部位毛髮的人。

治療過程
1.治療前不需麻醉，而且可以一次做大範圍的除毛。
2.療程中會感覺到輕微的刺痛。

治療次數
雷射除毛有階段性，需要做3～5次，每次間隔2、3個月。

副作用
治療後的部位會有些許紅腫的現象，可以冰敷舒緩。

注意事項
術前
1.治療前1～3天要刮除毛髮。
2.避免過度曝曬。

術後
1.治療後一星期不能使用含有甘醇酸、A酸等刺激性物質的保養品，也不能去角質。
2.如果在治療後有反黑或結痂的情形，需要特別注意防曬，並依醫師指示進行保養。

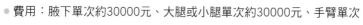

- 費用：腋下單次約30000元、大腿或小腿單次約30000元、手臂單次約20000元
- 疼痛度：3
- 美白效果：0
- 除皺效果：0
- 抗痘效果：0
- 緊實效果：0
- 縮小毛孔：0

（資料提供：英爵聯合診所DR.WU）

除非是長了歹命痣，
才需要用到的雷射除痣

女明星熱愛指數：★

痣長對位置，其實是一種個人魅力

在這個時代，如果你的臉上有痣，說不定不用除掉，還可以成為個人的特色。有一位女明星就是因為臉上有一顆星形的痣，而變得更加性感可愛，讓大家都很羨慕她有那顆痣。由於痣已經不是大家會想要除之而後快的東西了，也就不會有很多女明星會想去做雷射除痣。

現在反而是比較迷信、相信痣會影響到命運的人，才會去做雷射除痣。以前傳統的除痣方法是用冷凍的點痣，會用一根細細的棉花棒沾上冷凍劑，點在你想消除的痣上，作用的時

候會有一種非常緊縮又刺痛的感覺，然後要等幾天之後才能把痣完全消除。現在的雷射除痣，則是用氣化雷射的方法把痣去掉。不過就大王看來，痣不管長在哪裡都還滿好看的。我覺得痣其實可以展現個性，也可以凸顯出臉部特色，所以如果你不迷信的話，大可不必去做除痣。

醫生的話 +

什麼是雷射除痣？

雷射除痣和雷射除斑屬於同類型，只是強度不同。雷射除痣主要是用雷射光能量直接作用於痣細胞，可以汽化型雷射或色素型雷射去除，但只限於扁平的小型黑痣。如果是凸起的大型痣要以雷射治療，可能要做非常多次才會有效，建議以手術切除比較好。

適用族群
想要去除小型痣的人。

治療過程
1.治療前多半會在治療部位塗上麻醉藥。
2.治療過程只需要數分鐘的時間。

治療次數
通常需要2次以上的治療。治療的次數不是依痣的面積大小而定，而是視深度決定。如果是深度較深的痣，可能會需要做到4、5次。

副作用
治療後會有微微的灼熱疼痛感，約5-7天表皮會逐漸癒合產生痂皮。

注意事項
1.治療後會有微微的灼熱疼痛感，約5到7天表皮才會逐漸癒合產生痂皮。這段期間需要在傷口上塗抹藥膏。傷口的痂皮脫落後，新生表皮通常會呈現桃紅色，之後黑痣顏色會慢慢轉淡。
2.治療後要特別注意防曬，並依護理人員指示做好傷口護理。
3.千萬不能自行摳掉痂皮。

- 費用：兩顆痣500元、後續1顆100元
- 疼痛度：1
- 美白效果：0
- 除皺效果：0
- 抗痘效果：0
- 緊實效果：0
- 縮小毛孔：0

（資料提供：英爵聯合診所DR.WU）

鮮為人知的好東西——
脈衝式染料雷射

女明星熱愛指數：

解決各種疑難雜症的新型美容

　　脈衝式染料雷射的女明星熱愛指數只有半顆星，是因為它的好處還不太被大家所知道。據說它可以用來嘗試改善一些大家平常可能會置之不理的疑難雜症。

　　像很多人會有妊娠紋或是肥胖紋，這些紋路都是長在平常不會被別人看到的地方，而且很難消除，所以通常都不太去處理它。但如果是女明星，或是想要穿比基尼而不想被別人看到這些紋路的話，就會想要除之而後快。另外，雖然女明星很少會有乾癬，但是對於世界上大部分的人來說，有乾癬的人並不在少數。一般人都會覺得既然它是無法根治的，乾脆不要去管它，只要不會癢不會痛就好了。現在，其實可以嘗試用脈衝式染料雷射來做改善。

另外，我聽過還有一種說法就是脈衝式染料雷射可以用來改善疣，疣是一種肉色的凸起物，據大王所知，以前要消除的方法是和點痣一樣，用冷凍液體去點掉，然後也會刺痛、發紅、結痂再脫落。不是每個人都對疣很在意，如果你是對自己要求很高的人，或是你也是像大王一樣，會一天到晚盯著鏡子審視自己的人，可以考慮看看這個新方法。

新・痘痘的急救法寶

很多人可能不知道，染料雷射還可以用來對付剛剛開始長出來的痘痘。就我所知，有些女藝人因為通告太頻繁難免也會長痘痘，不嚴重但偶爾就會在臉上冒出個一、兩顆，那種剛形成的痘痘，擠也擠不出來、蓋也蓋不掉，紅紅的一塊在鏡頭下真的會超明顯。這時候如果接下來還有通告，她們就會去快速地打個一發染料雷射，聽說打完之後第二天就不會那麼紅腫了。當然打這種雷射會比痘痘針貴，但不會像痘痘針那麼痛，加上對藝人來說時間就是金錢、鏡頭就是一切，打一發染料雷

射花不到幾秒，又可以讓痘痘趕快消掉，不失為一種痘痘急救的方法。

對有蟹足腫體質的人來說，是一大福音

很多人都有蟹足腫體質，可是大部分的人都不知道要如何改善蟹足腫。大王有一位女性友人，有一次手術後在胸部上留下了縫線的疤痕，原本只是一條細線，但因為她有蟹足腫的體質，後來那道小疤長大了足足有15倍之多，讓她心情超級沮喪，最後選擇去試試看做染料雷射。

據她形容，做染料雷射的過程快到才剛躺下來，醫生就說：『好了，你可以起來了！』整個過程不到1分鐘，她只聽到『嗶！嗶！』兩聲，然後打下去的時候像是被一道冰冰的空氣射了一發，不怎麼痛，像是被人家不小心用手指甲刮到一下的感覺。做完之後會擦上一層幫助舒緩的東西，然後再貼上一塊紗布就可以回家了。朋友說剛做的時候真的不怎麼痛，一直到做完的那天晚上、洗完澡之後才開始覺得有刺痛感，是衣服不小心磨擦到時會反射性地閃一下的那種痛，不過不至於到不能忍受的地步。等做完一個星期之後，就覺得原來長蟹足腫的地方顏色變淡，從暗紅色變成粉紅色，鼓起來的地方也好像變得平了一點點。

當然，要蟹足腫完全變不見是不可能的，除非去開刀拿掉才能真的消除，但是對不想開刀的人來說，現在多了脈衝式染料雷射這種方法可以選擇。

大王本身也有蟹足腫的體質，以前大王也不曉得原來科技發達到還有這種雷射方法可以用來治療蟹足腫。雖然現在知道的人不多，但是對於有這些問題的人來說，真的是一個非常受用的解決方法。所以，雖然目前它只有半顆星，但希望經由大王介紹，它的好處能更廣為人知！

有靜脈曲張的人請注意

一般女明星不太會有靜脈曲張，因為她們平常如果沒日沒夜拍戲或是站太久，回去都會有按摩腿部的習慣，只要能好好預防，就不會有靜脈曲張的問題。但是一般人，尤其是工作上需要長時間久站的女生，常常會有靜脈曲張的困擾。根據醫生表示，現在染料雷射也可以用來改善輕微的靜脈曲張，如果是超級嚴重的靜脈曲張，例如血管都已經凸出來的話，就需要做很多次才看得到改變，但是即使如此也可能無法完全根除。

靜脈曲張是預防重於治療，如果你已經有輕微的症狀就要趕快去處理，不要等到最後血管都凸出來了才想到要改善，那可就來不及了。（這可不是在嚇唬人哦！）

醫生的話 ✚

什麼是脈衝式染料雷射？

脈衝式染料雷射以往常被用來治療血管瘤，因為波長595nm的雷射光正好是在紅血球吸收最好的波長範圍內。現在則常用來治療因為類固醇所殘留的血絲，或者是增生性疤痕、手術後疤痕，甚至是蟹足腫，這些都可以用染料雷射來改善。

適用族群
想改善酒糟性肌膚、表淺性血管瘤、皮膚表面的微血管擴張的人，或是有疤痕、妊娠紋或擴張紋的人。對於痘痘或紅色痘疤的人也都非常有效。

效果
可治療酒色斑、妊娠紋、微血管擴張、肥厚性疤痕、血管瘤、蟹足腫、櫻桃血管瘤、乾癬、蛛狀痣、青春痘、疣等。

治療過程
1.治療前需先卸妝洗臉，防止化妝品成分影響作用。
2.治療時，會先感覺到冰冰的氣體噴出，接著染料雷射在極短的時間內同時打出。
3.治療後，會在患部塗上舒緩凝膠。

治療次數
需視情況來決定治療的次數，通常需要1次到5次不等。
治療腿部血管、酒色斑或青春痘約每8～12週1次。治療臉部微血管、酒糟、蛛狀痣約每4～6週1次。治療疤痕、妊娠紋約每6週1次。治療血管瘤、疣每約2～3週1次。

副作用

1.因為需要提高能量作用在比較深的部位，因此會出現輕微紫斑。紫斑約在1至2星期內消失，視個人體質不同，恢復速度不同。

2.會有暫時的紅腫，尤其是在眼睛周圍的肌膚。

3.有些人會有輕微結痂的情形。

4.少數人可能會有疤痕，但大多可以在1年內消退。

5.有些人會有暫時性的色素沈澱。

注意事項

1.治療後1星期內不能使用含甘醇酸、A酸等刺激性物質的保養品，或去角質。

2.治療後要避免泡溫泉或進入高熱的環境如三溫暖。

3.治療後要做好保濕與防曬。白天外出最好使用SPF30以上的防曬品，並做好物理性防曬。

- 費用：2000元起
- 疼痛度：1
- 美白效果：0
- 除皺效果：2
- 抗痘效果：5
- 緊實效果：2
- 縮小毛孔：1

（資料提供：英爵聯合診所DR.WU）

寧可不做的
雷射除刺青

女明星熱愛指數：★★

要除刺青，不如之前不要刺

　　大王原本想給雷射除刺青這一項0顆星，因為真的很少有女明星會去除刺青，通常都是要金盆洗手的流氓，或者是剛出獄的人才會去除刺青，女明星對雷射除刺青的熱中度很低。但是，因為最近有報導指出某位香港女明星也去做了雷射除刺青，我才知道原來至少除了大王之外，還有其他女明星也會去做，所以後來才又改為兩顆星。

　　大王在這裡要先提醒大家，如果你將來想當演員或模特兒，最好不要刺青。刺青很容易對這一類的工作造成阻礙，

尤其是演戲。如果有一天你要演的是一個天
真浪漫的少女，可是你身上卻有一個很顯眼
的刺青，那不是和劇中人物的形象很不符合
嗎？而且在台灣還沒有任何一種化妝品可以
徹底蓋掉刺青。在國外的話，是有一些特殊
化妝的產品可以蓋除刺青，但是一次光是蓋
除一個區域可能就要花上一個小時，卸妝的
時候也需要較長時間，不是像一般的妝這麼
好卸。所以，如果你將來想進演藝圈，大王
建議你最好不要刺青。

刺青後悔了？那就要有忍受地獄之火的心理準備

　　說實在的，大王很
後悔年少輕狂，一時衝
動下去刺了青，雖然當
時很時髦，但現在卻阻
礙了我的演員之路。

大王可以跟大家分享除刺青的經驗。它是大王這輩子很少不能忍受的痛之一。大王已經算是很能忍痛的人了，像我身上有很多刺青，就是因為覺得刺青不是很痛所以才很愛刺。但是除刺青的痛，大概是刺青的10倍吧！

　　大王在接受雷射除刺青之前，已經有在要除刺青的地方先塗上麻醉膏，也有停留30分鐘以上。可是當醫生打第一發雷射下去之後，原本是躺著的我立刻就跳起來，然後把醫生的手推開說：『我不做了。』

　　我被第一發雷射打下去的地方變成灰色的一塊，感覺就像有人用菸頭燙在接近骨頭的肉裡面，而且是燙在最嫩的肉上。那種燙不是表層的燙喔，是非常非常深層的燙，塗麻醉膏只能在表層做麻醉，根本就沒有效，痛到我難以忍受，非常地不舒服。

　　但是醫生說不能半途說不做，因為已經打了一發了，這樣會很醜。於是就勸我再忍一次看看。當打了第二發下去之後，我全身的汗都流出來了。我就跟醫生說：『醫生，我沒跟你開玩笑，我現在要回家，我不打了。』

　　最後，醫生只好幫我打麻醉針，而且還打了好幾針。打了麻醉針之後，不管雷射打得多深都沒感覺了，才完成了我的除刺青雷射。之所以會那麼痛，是因為雷射除刺青打的深度要比雷射除斑還要更深層。如果你的刺青上還有不同的顏色，有些顏色例如紅色是很難除掉的，就需要打得更深。

雷射除刺青比除斑難上更多倍

雷射除刺青要打幾發才能完全去除掉，就要看你原本刺青的範圍有多大。如果是大王手上這朵花的話，可能就要30發以上吧。所以如果那次我沒有打麻醉針的話應該是會痛昏過去，而且我可能會還手。在我嘗試過的一些高科技美容方法裡，幾乎所有項目我都可以乖乖忍受，但那次我居然會跳起來還把醫生的手推開，你就知道那有多痛。（還好醫生修養好……）

而且，雷射除刺青的術後保養就跟雷射除斑一樣麻煩，除掉刺青的地方會有很大的水泡，之後也會結痂等等，過程都完全一樣，而且結痂的地方還不能去摩擦到它。那就要看你原本雷射的部位是哪裡了，像很多人會刺在腰骨上，那就很難不去摩擦到它，如果摩擦很容易讓痂不自然脫落，就會再留下其他的疤痕。

所以，與其花時間去除刺青，倒不如不要刺，這真的是大王本身的肺腑之言。

醫生的話 +

什麼是雷射除刺青？

雷射除刺青其實是和雷射除斑一樣的方法，但是依刺青的深淺度和顏色，要用不同的雷射方法才能去除。例如紅寶石雷射、銣雅各雷射、紫翠玉雷射等都常用來去除一般的刺青，如果是紅色的刺青則要用染料雷射，而黃色、白色等淺色的刺青去除的效果較差。

適用族群
想去除刺青的人。

治療過程
1.治療前要保持皮膚清潔，不要吃阿斯匹靈，避免產生瘀血。
2.治療前需塗上麻醉藥（必要時可注射麻醉藥）。
3.治療時間依刺青面積和顏色不等。

治療次數
顏色較深、較鮮豔的刺青通常需要做6次以上才能完全去除。顏色較淺、較單純的刺青較容易去除，但也要做3到6次才能完全去除。

副作用
治療後需要3至4星期的恢復期。若是術後保養不慎，有可能留下疤痕。

注意事項
術後
1治療後3天內患部盡量少碰到水，而且每天要幫患部做消毒及塗抹醫師開立的藥膏。
2治療後3天會開始結痂，但要特別避免自行摳除痂，也要避免摩擦。
3痂皮大約會在10天後自然脫落，此時皮膚呈深紅色。

4.在痂皮完全脫落之前患部要避免化妝。

5.治療後3個月內都要加強防曬，可使用SPF15以上的防曬品並戴上帽子、撐陽傘做物理性防曬。

● 費用：雷射方法不同而有不同收費
● 疼痛度：5
● 美白效果：0
● 除皺效果：0
● 抗痘效果：0
● 緊實效果：0
● 縮小毛孔：0
（資料提供：英爵聯合診所DR.WU）

16

讓你躺著瘦的
微波拉皮

女明星熱愛指數：★★

　　大王之前所介紹的電波拉皮，雖然標榜可以有恢復緊緻肌膚的效果，但是做起來很痛。醫生為了從看你會不會痛，來衡量電波打下去的強度，所以只會在皮膚表層塗上麻醉藥膏。同樣利用電磁波拉皮，現在推出了更新一代的改良型的微波拉皮，根據醫生的說法，這種新型的機器和之前的原理不一樣，做起來一樣會熱，但比較不痛。

　　大王聽過太多人說第一代的電波拉皮做起來痛得不得了，所以很好奇新的微波拉皮做起來到底是什麼感覺？後來一

位和我很熟的女性長輩因為看我真的太好奇了，願意當一下白老鼠，親自去體驗一次做微波拉皮的感覺。

做微波拉皮之前，也一樣要先洗臉卸妝，不用塗麻醉膏，反而是會先在臉上塗了一層嬰兒油，然後就躺著，讓醫生用一個圓形的頭在你臉上均勻地滑動。一開始還覺得涼涼的，但是過了一會兒之後變成皮膚表面涼涼的、底下卻溫溫的感覺，再過幾分鐘就變得愈來愈熱。是不至於到痛的程度，但是她說還真的滿熱的，有點像是我們泡溫泉泡了太久、很想要起來的那種熱法，整張臉像發高燒一樣紅紅燙燙的，尤其是眼部周圍、鼻子外側靠近法令紋的地方會覺得特別熱，而且做全臉還包括了耳後，所以做到耳根

後面較敏感的地方時，也會覺得有
點燙。整個過程就像醫生說的，是
熱，不是痛，那種熱法已經接近會
燙的地步，不過還算是一般人可以
接受的程度。

做完全臉的過程大概要三十
分鐘左右，剛做完之後會整張臉還
是熱得發燙，不過會幫你敷臉，等
敷完之後就差不多已經沒什麼感覺
了。至於效果如何呢？她形容做完
之後臉皮會有一種緊繃感，只要講
話或是有誇張一點的表情，臉皮就
會感到有一個拉力在拉，而且看起
來好像真的有小一號。

向嬰兒肥、蝴蝶袖、副乳和啤
酒肚說再見

根據醫生的說法，微波拉皮對年
輕人最有吸引力的地方，是可以用它

來修飾臉型。像是如果你有一張嬰兒肥的臉，就可以嘗試用它來讓臉皮緊實一點。如果你是咬肌比較肥厚，也可以搭配肉毒桿菌來做修飾。還有上了年紀的人在耳朵前後常常會有一大塊的脂肪堆積，靠普通的方法根本瘦不到那裡，現在也可以利用這種新方法來嘗試改善。

　　除此之外，醫生指出微波拉皮還有很多讓人意想不到的神奇之處，例如它也可以用來改善蝴蝶袖、副乳、啤酒肚，甚至是抽脂手術後留下來的凹凸不平。做過抽脂手術的人，幾乎都會留下凹凸不平的痕跡。抽脂雖然是把脂肪抽掉，但是很多人抽完之後，生活習慣沒有跟著改變就還是會復胖，這是因為脂肪細胞的體積可以從很小變成超大，即使抽掉再多脂肪，剩下來的脂肪還是會被你養胖。

醫生的話 +

什麼是微波拉皮？

新型的微波拉皮是結合單極與雙極的電磁波拉皮技術，透過單極與雙極的電磁作用讓人體裡的水分子旋轉摩擦產生熱量，這樣的電磁傳導技術過程完全無痛不需上麻藥，來刺激膠原蛋白更新，達到皮膚緊實、恢復彈性及燃脂的效果。

適用族群
適合所有想要緊緻皮膚或是做局部雕塑，卻不太能忍受疼痛的人。

效果
皮膚緊實、讓鬆弛皮膚恢復彈性、讓脂肪細胞變小。

治療過程
1.治療前要卸妝洗臉。
2.治療前會先塗上一層嬰兒油，讓儀器在要治療的部位均勻滑動。治療時間依部位和面積大小不等。通常下半臉塑臉為15分鐘、全臉加脖子大約要30～45分鐘。
3.治療後皮膚會有一點微紅，短時間就能回復。

治療次數
臉部、頸部大約要做3次會明顯效果。蝴蝶袖、腰及腹部、大腿及臀部則要做約5次。

副作用
無明顯副作用。

注意事項
1.有安裝心臟節律器的人不適合做。
2.治療後一星期內避免用熱水洗臉。

3.治療後一星期內避免泡溫泉、洗三溫暖。

4.治療後要加強保濕，外出也要加強防曬。

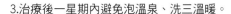 費用：單次30000～40000元，依部位不等。

● 疼痛度：2

● 美白效果：0

● 除皺效果：4

● 抗痘效果：1

● 緊實效果：5

● 縮小毛孔：3

（資料提供：西園醫院永越健康管理中心）

舒服躺著就能擁有完美曲線的LPG脂肪雕塑

女明星熱愛指數：★★

瘦，並不代表曲線一定完美

　　大部分的人都有一個觀念，就是身材好不好跟體重息息相關。但是其實身材的變化和體重的變化不一定畫上等號，例如不管你多瘦或多胖，都一樣容易出現蜂窩組織，堆積在大腿兩側、臀部、腹部和後腰上方的馬鞍帶上。而且這些蜂窩和橘皮組織超級難消除，不管是節食、運動、擦瘦身霜統統都對它無效，只能眼睜睜地看著它日漸嚴重。

　　據大王所知，LPG是目前世界上唯一能改善橘皮組織的機器。它在歐洲已經流行很久，現在在台灣也引進了這台機器，造福想消除橘皮組織的減肥族。

在做LPG之前必須先要瞭解一個很重要的觀念，就是LPG不是用來減重的。就像前面所說的，曲線和體重並不能相提並論，有些人身材雕塑了之後，雖然體重沒有減輕多少，但是曲線變美了。醫生說做LPG最多只可能幫助你瘦個三公斤就很了不起了，所以如果很胖的人想靠做LPG來瘦身，效果可能會讓你失望。

舒服得就像做SPA一樣會做到睡著

台灣人的口味比較重，認為做這種美容、塑身的療程都一定要有感覺才有效。但是LPG做起來非常舒服，完全沒有其他高科技美容的電光石火，就像是躺在那裡被按摩一樣，舒服到會讓你睡著。

到底LPG做起來感覺如何？大王在這裡跟大家分享一下我的體驗過程。在做之前必須先換上一件很特殊的白色衣服，非常輕薄又有彈性，材質摸起來的感覺有點像彈性絲襪，穿起來則很像緊身衣。但是在這件緊身衣裡面你只能穿一條丁字褲，其他都不能穿，然後先趴著，從背部開始做起。

LPG的儀器上有兩個滾輪，做的時候是以兩個滾輪隔著緊身衣在身上滑動，當滾輪滑過的地方會感覺到肉被輕輕地吸起來，滾輪走到哪裡就吸到哪裡，不僅完全不會痛，反而還滿舒服的。整個背部從後頸到腳掌，全部肌肉都被滾輪按摩過了之後，再翻過來做正面。全身上下只除了頸部以上和手掌，其他部位全部都會被滾輪滾過一遍，當然也包括胸部和臀部，整個做完大約四十五分鐘。

　　做完之後，我的感覺是全身很放鬆，比去做全身按摩之後還要舒服，有時候被人家按摩完還會覺得痠痛很像被打了一頓，但做完LPG就完全不會有這種感覺，不但原本緊繃的肌肉都放開了，當天回去也非常好睡。

醫生的話 +

什麼是LPG脂肪雕塑？

LPG脂肪雕塑儀是以非侵入性的方式，對皮下脂肪進行有效的深層節奏性運動，可以有效改善蜂窩組織，雕塑曲線。

適用族群

想改善橘皮組織的人。

效果

改善橘皮組織、減少皺紋、消除局部脂肪。

治療過程

1.治療前需換上專用的緊身衣。

2.治療時間為35分鐘，加上前後更衣時間共約1小時。

治療次數

1個療程約為15次。初期時可以1星期內做2～3次，之後改為1個月做1次。

副作用

無明顯副作用。

注意事項

無

- 費用：全身單次2500元、15次療程37500元
- 疼痛度：0
- 效果指數：
- 美白效果：1
- 除皺效果：2

- 抗痘效果：0
- 緊實效果：2
- 縮小毛孔：2

（資料提供：西園醫院永越健康管理中心）

導什麼都有效的
電衝能量導入

女明星熱愛指數：★

任何保養品都能直接導入

　　電衝能量導入跟之前大王所介紹的光療法完全不同，既不會痛也不用術後恢復期，重要的是你要選擇導入什麼樣的成分。醫生會建議你選擇比較精純、濃度比較高的成分，例如想要美白就可以導入純度比較高的左旋C，想要保濕就可以導入玻尿酸；如果想要抗老回春，就可以選擇現在最紅的生長因子。

　　做電衝能量導入和我們以前做超音波導入不太一樣，因為是做電流導入，所以必須要拿掉身上所有的金屬飾品，然後在

手臂上綁一個金屬片當作電流的出口,做之前臉上也會先塗上一層凝膠。真正開始了之後,醫生會先用一支筆狀的儀器在你的臉上繞,繞過的地方會覺得有一點刺刺麻麻的,醫生說這叫做『開毛孔』。開完毛孔之後,才開始用一個圓球狀的儀器做導入,圓球上的滾輪帶有電流,滾在皮膚上就好像有一道很輕微的電流在臉上跑,當它滾到嘴巴附近的時候,嘴裡還會有種好像含到鐵片、酸酸的味道。每開一次毛孔大概可以維持兩分鐘,所以大概會做個四輪。

剛做完的時候,我覺得最明顯的改變是臉整個變白了一圈,皮膚也會有一種飽滿水潤的感覺。而且做完之後還會再幫你敷一次保濕面膜,皮膚看起來就更有水分了。不過可能我對電流比較敏感,做完之後一、兩個小時都還是覺得有電流在我的臉上跑。

醫生的話 ✚

什麼是電衝能量導入？

電衝能量導入原本是在基因工程中用來幫細胞導藥，它利用通電來讓細胞膜產生電位差，把需要的藥物或養分導入細胞，卻不會對細胞膜造成破壞。現在則是運用在臉部生長因子等成分的導入，讓皮膚達到最好的吸收效果。

適用族群

想改善臉部肌膚美白、保濕、老化現象的人。

效果

可美白、保濕、抗老等，視導入成分不同而有不同效果。

治療過程

1.治療前需卸妝洗臉，避免化妝品成分影響效果。

2.治療時間約1小時。

3.治療後可馬上化妝。

治療次數

可1星期做1次。

副作用

無明顯副作用。

注意事項

無

- 費用：單次3000元
- 疼痛度：0
- 效果指數：（視導入成分不同而有不同效果）
- 美白效果：2
- 除皺效果：2
- 抗痘效果：0
- 緊實效果：2
- 縮小毛孔：0
- （資料提供：西園醫院永越健康管理中心）

皮膚組織圖

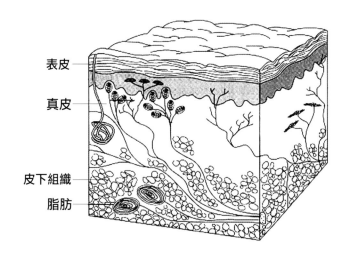

表皮

真皮

皮下組織

脂肪

《表皮》──煥膚、脈衝光： 雀斑、曬斑

↓

《真皮》──雷射： 顴骨斑、太田母斑、胎記

↓

《脂肪》──電波拉皮

↓

《皮下組織》──LPG

後記

　　很多追求內在美麗的人，會覺得追求外在美麗的人很膚淺，但大王認為，不論是追求『內在的』還是『外在的』，只要是『美的』都是好的！如果能內外都美，當然最完美啦！

　　在此大王要感謝：英爵聯合診所的吳英俊醫師、林佩琪醫師、蕭晨隆醫師，及西園醫院永越健康管理中心的吳純慧醫師、王敦正醫師、陳雅雯小姐，優德診所的吳兆奇醫師，新生活美容中心的葉偉倫醫師、李麗娥小姐，麥茵茲形象醫學中心的黃美月醫師，名化妝師小P、亞歷，及陳國華醫師，長期以來，他們提供了大王許多正確、專業的美麗知識及服務，如果沒有他們，就沒有今天的美容大王了！感恩。

本書內容經『英爵聯合診所DR.WU』、『西園醫院醫療體系永越健康管理中心吳純慧、王敦正醫師』審定無誤。

國家圖書館出版品預行編目資料

揭發女明星：美容大王2/徐熙媛著.
-- 初版. -- 臺北市：平裝本, 2007〔民96〕
　　面；公分. --（平裝本叢書；第249種）
（迷FAN；84）
ISBN 978-957-803-615-4（平裝）

424　　　　　　　　　96000127

平裝本叢書第0249種
迷FAN 84

揭發女明星—美容大王2

作　　者—徐熙媛
發 行 人—平雲
出版發行—平裝本出版有限公司
　　　　　　台北市敦化北路120巷50號　電話◎02-27168888
　　　　　　郵撥帳號◎18999606號
香港星馬—皇冠出版社(香港)有限公司
總 代 理　香港灣仔告士打道88號19樓
　　　　　　電話◎2529-1778　傳真◎2527-0904
出版統籌—盧春旭
出版策劃—龔橞甄
責任編輯—沈書萱
美術設計—陳韋宏
印　　務—林佳燕
校　　對—鮑秀珍・邱薇靜・沈書萱
行銷企劃—李郱如

著作完成日期—2006年12月
初版一刷日期—2007年2月